BERLIN
EN QUELQUES JOURS

ANDREA SCHULTE-PEEVERS

Berlin en quelques jours
2ᵉ édition, traduit de l'ouvrage *Berlin Encounter*
(2nd edition), February 2010

Traduction française :

© Lonely Planet 2010
12 avenue d'Italie, 75627 Paris cedex 13
☎ 01 44 16 05 00
✉ lonelyplanet@placedesediteurs.com
🖥 www.lonelyplanet.fr

Dépôt légal : Mai 2010
ISBN 978-2-81610-249-9

Responsable éditorial Didier Férat
Coordination éditoriale Frédéric Dalléas
Coordination graphique Jean-Noël Doan
Maquette Valérie Police
Cartographie Nicolas Chauveau
Couverture Jean-Noël Doan et Alexandre Marchand
Traduction Nathalie Berthet, Christine Bouard
et Anne Caron
Merci à Pascal Tilche pour son travail sur le texte

Tous nos remerciements à la société BVG pour le plan de
S- et U-Bahn de Berlin © Berliner Verkehrsbetriebe (BVG)

Imprimé par L.E.G.O. Spa
(Legatoria Editoriale Giovanni Olivotto)
Imprimé en Italie

COMMENT UTILISER CE GUIDE
Codes couleur et cartes

Des symboles de couleur représentent les sites et
les établissements figurent dans les chapitres et
sont reportés sur les cartes correspondantes afin
de les localiser rapidement. Les restaurants, par
exemple, sont indiqués par une fourchette verte.
À chaque quartier correspond aussi une couleur
spécifique, reprise dans les onglets du chapitre
qui lui est consacré.
Les zones en jaune sur les cartes désignent des
"secteurs dignes d'intérêt" (sur le plan historique
ou architectural, ou encore par la présence de bars
et de restaurants, etc.). Nous vous conseillons
vivement de les explorer.

Prix

Les différents prix indiqués (par exemple 10/5 €
ou 10/5/20 €) correspondent aux tarifs adulte/
enfant, normal/réduit ou adulte/enfant/famille.

Vos réactions ? Vos commentaires nous sont très
précieux et nous permettent d'améliorer constamment
nos guides. Notre équipe lit toutes vos lettres avec la
plus grande attention et prend en compte vos remarques
pour les prochaines mises à jour.
   Pour nous faire part de vos réactions, prendre
connaissance de notre catalogue et vous abonner à Comète,
notre lettre d'information, consultez notre site web :
www.lonelyplanet.fr

Nous reprenons parfois des extraits de notre courrier
pour les publier dans nos produits, guides ou sites
web. Si vous ne souhaitez pas que vos commentaires
soient repris ou que votre nom apparaisse, merci de
nous le préciser. Pour connaître notre politique en
matière de confidentialité, connectez-vous à :
www.lonelyplanet.fr/_html/confidentialite

ANDREA SCHULTE-PEEVERS

Andrea a parcouru une soixantaine de pays et n'est pas peu fière de son passeport tout écorné. Elle est née en Allemagne, où elle a grandi, avant de partir faire ses études à Londres et à l'University of California de Los Angeles (UCLA). Sa fascination pour Berlin remonte à sa première visite, durant l'été 1989, quelques mois avant la chute du Mur. Elle y est depuis retournée maintes fois et a vu la ville quitter son air maussade des années de guerre froide pour se transformer en une métropole cosmopolite, stimulante et confiante en son avenir. Andrea a collaboré à une quarantaine de guides Lonely Planet, notamment aux 6 éditions de Berlin, au guide Allemagne et à la première édition de ce guide, avant de troquer de nouveau sa maison de Los Angeles pour un appartement sous les toits à Berlin, lors d'un nouveau séjour dont elle a savouré chaque instant.

REMERCIEMENTS

Vielen Dank à Alex, Anna, Anne, Annika, Ariela, Christina, Erez, Gabriella, Henrik, Holm, Kerstin, Katja et à tous ceux qui ont battu le pavé berlinois avec moi. Je remercie du fond du cœur Caroline Sieg et toute l'équipe Lonely Planet qui a réalisé ce guide. Mes plus gros remerciements vont à David, mon fidèle compagnon.

À nos lecteurs Un grand merci à toutes celles et tous ceux qui nous ont écrit pour nous indiquer leurs adresses favorites, nous prodiguer des conseils utiles ou nous faire partager leur expérience de Berlin.

Photographies Lonely Planet Images et David Peevers, excepté p. 169 Juergen Henkelmann Photography/Alamy ; p. 45 Jon Davison ; p. 36, p. 51, p. 115 Krzysztof Dydynski ; p. 166 Lou Jones ; p. 32 (en haut à droite et en bas), p. 34, p. 161 Jean-Pierre Lescourret ; p. 6 (en haut) ; p. 152 Guy Moberly ; p. 24, p. 26, p. 31, p. 38, p. 65, p. 128, p. 156 Martin Moos ; p. 6 (en bas), p. 21, p. 49, p. 75, p. 87, p. 142, p. 146, p. 162, p. 163 Richard Nebesky ; p. 135 Jonathan Smith ; p. 16 Thomas Winz.

Photographies de couverture Ancien musée, Mitte, S. Tauqueur/Photolibrary

Toutes les photos sont sous le copyright des photographes sauf indication contraire. La plupart des photos publiées dans ce guide sont disponibles auprès de l'agence photographique **Lonely Planet Images** : www.lonelyplanetimages.com

L'église du Souvenir (p. 135) vue depuis *Berlin*, l'étonnante sculpture des époux Matschinsky-Denninghoff

SOMMAIRE

BIENVENUE À BERLIN

Mariant sans complexe le glamour et le grunge, Berlin vole la vedette aux autres villes d'Europe vingt ans après sa renaissance. Musées et galeries de renom, opéras et clubs underground, tables étoilés et cuisines du monde : la ville a de quoi satisfaire toutes les envies…

Malgré ses déboires fiscaux chroniques, la capitale allemande s'est imposée comme la référence en matière de mode, d'art, de design et de musique. Les créateurs y affluent du monde entier, la transformant en un creuset culturel rappelant le New York des années 1980. Tous sont attirés par le climat d'ouverture et d'expérimentation qui donne à cette ville "éternellement inachevée" son identité profondément urbaine. Et puis, les loyers sont très bon marché…

Une telle aura est un triomphe pour une ville longtemps malmenée par l'Histoire : Berlin a connu une révolution, l'occupation nazie, les bombardements ; elle a été coupée en deux puis réunifiée – tout cela au XXᵉ siècle ! Où que l'on aille, le passé est omniprésent. Le Reichstag, la porte de Brandebourg, Checkpoint Charlie et ce qui reste du Mur sont là pour rappeler le poids de l'Histoire.

Est-ce à cause de ce lourd fardeau que Berlin se tourne vers l'avenir avec tant d'ardeur ? La ville semble par moments toute entière dédiée à la fête. Les cafés sont pleins à toute heure, les bars et les clubs, où l'alcool coule à flot, vibrent jusqu'au petit matin. Dormir ? On n'en a pas le temps.

En dépit de ce rythme trépidant, Berlin demeure une ville à taille humaine, agréable à vivre. La circulation y est fluide, les transports publics sont excellents, les rues sont sûres, les discothèques ouvertes à tous, et les notes de restaurant raisonnables. N'attendez plus, laissez-vous emporter par le tourbillon de vitalité, de diversité et d'excentricités de cette ville fascinante !

En haut à gauche Monsieur Vuong (p. 69), une adresse à prix doux très appréciée En haut à droite La Berlinische Galerie (p. 114) passe en revue les grands mouvements artistiques berlinois contemporains En bas Berlin et sorties dans les bars vont de pair (p. 164). Attention toutefois à l'excès de Berliner Weisse grün

Graffitis et ambiance bobo-chic dans le très branché quartier de Prenzlauer Berg (p. 22)

> 1 MUSÉE DE PERGAME

DÉCOUVRIR LES TRÉSORS DE L'ANTIQUITÉ DANS UN MUSÉE D'EXCEPTION

La visite de ce vaste complexe construit sur l'île des Musées en 1930 est un *must* absolu. On peut y admirer des trésors de sculpture et d'architecture monumentale provenant de Grèce, de Rome, de Babylone et du Moyen-Orient, découverts pour la plupart par des archéologues allemands au tournant du XXe siècle. Notez que des travaux de rénovation ayant été entrepris, il se peut que certaines sections du musée soient fermées au public dans les années à venir.

Trois collections distinctes sont présentées. Elles comportent chacune des pièces maîtresses, très bien décrites par l'excellent audioguide (gratuit). Joyau de la collection des Antiquités (Antikensammlung), l'autel de Pergame (165 av. J.-C.) a donné son nom au musée. Cette gigantesque châsse en marbre surélevée, provient de l'ancienne cité grecque de Pergame (actuelle Bergama en Turquie). Au centre, un escalier de 20 m de large conduit à une cour à colonnades ornée d'une frise représentant des épisodes de la vie de Télèphe, le fondateur légendaire de Pergame.

Mais c'est une autre frise, reconstituée sur les murs de cette première salle, qui retient, à juste titre, l'attention des visiteurs. Longue de 113 m, elle montre les dieux livrant bataille aux géants. Elle était à l'origine peinte et dorée, et entourait l'autel. Les détails anatomiques, l'intensité des expressions et la composition aux accents dramatiques en témoignent : l'art hellénistique est ici porté à son plus haut degré de perfection.

La salle suivante s'ouvre sur une autre pièce maîtresse : l'immense porte du marché de Milet (IIe siècle), chef-d'œuvre d'architecture romaine. On devait autrefois la franchir pour accéder au marché qui se tenait sur la place de cette ville (également située en Turquie de nos jours), jadis carrefour commercial entre l'Asie et l'Europe.

Une fois cette porte franchie, on remonte encore le temps, jusqu'à la Babylone du roi Nabuchodonosor II (604-562 av. J.-C.). Vous voici maintenant dans le musée des Antiquités du Proche-Orient (Vorderasiatisches Museum). Difficile de rester indifférent devant la porte d'Ishtar, la voie des Processions qui y mène (photo) et la

façade de la salle du trône royal. L'ensemble est recouvert de briques vernissées aux teintes bleu cobalt et ocre. Les lions, les chevaux et les dragons qui représentent les principales divinités babyloniennes sont plus vrais que nature.

Un escalier conduit à la troisième collection, le musée d'Art islamique (Museum für Islamische Kunst), qui abrite notamment le palais de Mshatta (dans l'actuelle Jordanie), un ouvrage fortifié du VIIIe siècle. Ne manquez pas non plus la chambre d'Alep (XVIIe siècle), provenant de la maison d'un marchand chrétien de Syrie : ses murs sont recouverts de panneaux de bois richement peints. Si vous les regardez avec attention, vous y reconnaîtrez la Cène et une Vierge à l'Enfant (devant vous, à droite de la porte). Voir aussi p. 50.

>2 CHÂTEAU DE CHARLOTTENBURG

RÊVER D'OPULENCE AU PALAIS ROYAL

Exquis palais baroque, le château de Charlottenburg permet de se représenter la splendeur de la royauté prussienne. Le mieux est de le visiter l'été, son parc luxuriant se prêtant alors à merveille à la promenade, au bain de soleil et au pique-nique.

Le palais fut d'abord une modeste résidence d'été destinée à Sophie-Charlotte, épouse du futur roi Frédéric Ier. Il fut ensuite modernisé et agrandi, pour finalement devenir l'opulent édifice de 505 m de long que l'on peut admirer aujourd'hui. Devant la partie centrale (et la plus ancienne) du palais, connue sous le nom d'Ancien Château, se dresse la statue équestre du Grand Électeur (voir p. 172), réalisée par Andreas Schlüter. À l'intérieur se trouvent les appartements privés de Frédéric Ier et de Frédéric-Guillaume IV. Frédéric le Grand résidait dans la Nouvelle Aile, ajoutée en 1746.

Les sentiers parfaitement entretenus du parc, ombragés d'arbres centenaires, mènent en outre au Nouveau Pavillon, au charmant Belvédère – où est exposée une collection de porcelaines –, au mausolée et à un joli lac. Voir aussi p. 136.

>3 VIE NOCTURNE

PASSER TOUT LE WEEK-END DANS LES CLUBS BRANCHÉS

Berlin est célèbre pour sa vie nocturne intense et débridée depuis les années 1920, époque des fêtes légendaires fréquentées par Marlene Dietrich et Christopher Isherwood. Après la réunification, la vie nocturne a connu un regain de vitalité phénoménal. Clubs et salles investirent toutes sortes de lieux désaffectés – postes, centrales électriques, bunkers, usines... C'est ici que la techno hard-core fit ses débuts avant de partir à la conquête du monde, profitant de l'explosion de la scène rave au Royaume-Uni et de la popularité grandissante de l'ecstasy.

Si la techno occupe toujours le devant de la scène à Berlin, elle le partage néanmoins désormais avec divers genres de musique électro. Les clubs, plus variés que jamais, vont des repaires de célébrités (Cookies, p. 55) et autres lieux ultrabranchés (Berghain/Panoramabar, p. 130) aux établissements plus trash (Rosi's, p. 131). Des fêtes underground sont toujours organisées dans les stations et wagons de S-Bahn, les bâtiments désaffectés, les sas des DAB et d'autres lieux improbables – du moins jusqu'à l'arrivée de la police.

>4 SCHEUNENVIERTEL

FAIRE DU SHOPPING DANS LE CENTRE HISTORIQUE

Pour une séance de shopping typiquement berlinoise, allez flâner dans le Scheunenviertel, dédale de rues aux allures de village où vous attendent des boutiques chic et originales, offrant un vaste choix d'articles pour la plupart fabriqués en Allemagne : prêt-à-porter de couturiers, vêtements *streetwear*, déco d'intérieur, accessoires, œuvres d'art, produits d'épicerie fine, etc. Malgré l'apparition récente de grandes enseignes, la plupart des magasins reflètent encore ici une philosophie et un goût non uniformisés, à des années-lumière de la consommation de masse.

Ce qui fait du Scheunenviertel un endroit si spécial, c'est avant tout la diversité des boutiques, des élégants *concept-stores* comme 14OZ (p. 67) aux magasins spécialisés tel 1. Absinth Depot Berlin (p. 67 ; photo), en passant par les showrooms de couturiers comme Berlinerklamotten (p. 67), les boutiques à l'ancienne telle la confiserie Bonbonmacherei (p. 68) et ses bonbons artisanaux, ou les établissements visant une clientèle touristique, notamment l'Ampelmann Galerie (p. 67). L'Auguststrasse abrite de nombreuses galeries d'art avant-gardiste comme Kunst-Werke Berlin (p. 64), tandis que les boutiques des grandes marques de prêt-à-porter sont regroupées près de Hackescher Markt, et le long de la Münzstrasse et de la Neue Schönhauser Strasse.

>5 EAST SIDE GALLERY

CONVERSER AVEC LES FANTÔMES
DE LA GUERRE FROIDE LE LONG DU MUR

C'était en novembre 1989. Le mur de Berlin, qui avait divisé le monde durant 28 ans, tombait enfin. L'Allemagne de l'Est avait ouvert ses frontières, et la réunification était imminente. Le Mur a depuis été presqu'entièrement détruit, mais un tronçon de 1,3 km de long se dresse toujours le long de la Mühlenstrasse. Aujourd'hui connu sous le nom d'East Side Gallery, il est recouvert d'une centaine de grafs multicolores, formant la plus vaste galerie d'art en plein air au monde. Des artistes de tous pays ont ici retranscrit l'euphorie et l'optimisme du moment dans un mélange de slogans politiques, d'illustrations psychédéliques et de véritables œuvres d'art.

La fresque *Test the Best*, de Birgit Kinder – qui montre une Trabant (ou Trabi) perçant le Mur – est la plus photographiée. Endommagée par les intempéries et par les taggeurs (professionnels ou de passage), l'East Side Gallery a été entièrement restaurée en 2009. Dommage toutefois qu'un petit tronçon ait été supprimé pour laisser place au débarcadère du stade O2 World. Un urbanisme rampant qui menace également les bars de plage installés du côté de la galerie donnant sur la Spree. Voir aussi p. 124.

>6 REICHSTAG

CONTEMPLER UN MONUMENT EMBLÉMATIQUE

Symbole de l'histoire allemande, ce bâtiment grandiose conçu par Paul Wallot en 1894 a été entièrement restauré par Norman Foster, qui n'en a conservé que la structure, lui adjoignant notamment une impressionnante coupole de verre (photo), au sommet de laquelle mène un ascenseur. Il abrite la chambre basse du parlement allemand (le Bundestag) depuis 1999.

Le Reichstag s'est souvent trouvé au cœur d'événements décisifs. C'est depuis l'une de ses fenêtres que Philipp Scheidemann proclama la république d'Allemagne à l'issue de la Première Guerre mondiale. L'incendie de février 1933, dont furent accusés les communistes, permit à Hitler de prendre le pouvoir. Douze ans plus tard, des soldats de l'Armée rouge brandissaient victorieusement le drapeau soviétique sur l'édifice bombardé.

Dans les années 1980, David Bowie, les Pink Floyd et Michael Jackson donnèrent des concerts sur ses pelouses, qui s'étendaient alors au pied du Mur, côté Ouest. Quand ils surent que des fans de Berlin-Est s'étaient regroupés de l'autre côté, ils tournèrent les amplis dans leur direction, frôlant l'incident international !

Après la chute du Mur, la réunification allemande fut entérinée ici en 1990. Cinq ans plus tard, l'édifice fit à nouveau la une de la presse internationale lorsque le couple d'artistes Christo et Jeanne-Claude l'enveloppa dans une immense étoffe. Norman Foster en commença la rénovation peu après. Voir aussi p. 78.

> 7 MUSÉE JUIF

EN APPRENDRE PLUS SUR L'HISTOIRE DES JUIFS ALLEMANDS

Le Musée juif de Berlin, moderne et interactif, dresse la chronique de deux mille ans d'histoire juive en Allemagne. Sa particularité est de ne pas aborder uniquement, comme c'est souvent le cas, les douze années d'horreur du régime nazi. Le musée couvre les grandes périodes historiques, de l'époque romaine à la renaissance actuelle de la communauté, en passant par le Moyen Âge et le siècle des Lumières. Il détaille l'apport de la communauté juive sur le plan culturel, décrit ses traditions, retrace la longue route ayant mené à son émancipation (voir p. 158) et s'intéresse à des personnalités aussi variées que le philosophe Moses Mendelssohn ou le père du jean, Levi Strauss.

Tout aussi remarquable que l'exposition, l'architecture du musée, conçue par Daniel Libeskind, se présente comme une allégorie de la souffrance du peuple juif : structure en étoile de David brisée, murs de zinc argenté aux angles prononcés et entailles en guise de fenêtres. À l'intérieur, un escalier escarpé conduit aux "axes", trois passages qui se croisent, symbolisant la destinée des Juifs sous le IIIe Reich : mort, exil et continuité. Seul ce dernier axe mène à l'exposition, mais le trajet, qui emprunte plusieurs volées de marches abruptes, est malaisé. Indéniablement, Libeskind sait faire de l'architecture un langage particulièrement expressif. Voir aussi p. 115.

>8 PINACOTHÈQUE

ADMIRER LES TOILES DES GRANDS MAÎTRES

Depuis son ouverture en 1998, la Pinacothèque réunit dans un espace du Kulturforum taillé sur mesure des tableaux de maîtres européens séparés par la guerre froide pendant un demi-siècle – certains étaient exposés au musée Bode (Berlin-Est), les autres à Dahlem (banlieue de Berlin-Ouest). Aujourd'hui, ces quelque 1 500 tableaux, parmi lesquels on peut admirer des œuvres majeures de Rembrandt, Titien, Goya, Botticelli, Holbein, Gainsborough, Canaletto, Hals, Rubens et Vermeer, entre autres, offrent un vaste aperçu de la peinture du XIIIe siècle au XVIIIe siècle.

Le *Portrait de Hieronymus Holzschuher* (1529 ; salle 2), peint par son ami Albrecht Dürer, fait partie des chefs d'œuvre à ne pas manquer, tout comme les *Proverbes néerlandais* (1559 ; salle 7), scène de village en bord de mer de Pieter Bruegel illustrant magistralement 119 proverbes, et la *Fontaine de Jouvence* de Lucas Cranach l'Ancien (1546 ; salle 3), qui, si elle existait, signerait la fin de la chirurgie esthétique. *Léda et le Cygne* du Corrège (1532 ; salle 15), le *Jugement dernier* de Petrus Christus (1452 ; salle 4) et l'ensorcelante *Malle Babbe* de Frans Hals (1633 ; salle 13) sont quelques-unes des autres pièces maîtresses de la Pinacothèque. Voir aussi p. 82.

>9 TIERGARTEN

SE PROMENER, PIQUE-NIQUER
ET FLIRTER DANS UN PARC DE RENOM

Avant qu'il ne soit aménagé en parc public par le grand paysagiste Peter Lenné, le Tiergarten était le domaine de chasse des maîtres de Berlin. Ses sentiers bien entretenus, ses grands arbres, ses lacs et ses pelouses en font aujourd'hui l'un des plus vastes parcs urbains au monde et une merveilleuse retraite loin du tohu-bohu de la ville, propice à la promenade, au jogging, aux pique-niques, aux barbecues et aux bains de soleil. C'est aussi un lieu de drague prisé par la communauté gay (surtout autour du Löwenbrücke).

Traverser le parc prend environ 1 heure, mais une balade plus courte s'avère aussi très agréable. L'île de Rousseau (Rousseauinsel), ainsi nommée en hommage au philosophe français, et l'île de Louise (Luiseninsel), très fleurie, comptent parmi les endroits les plus charmants. Le lac le plus grand est le Nouveau Lac (Neuer See). On peut y louer une barque et profiter du *Biergarten* du Café am Neuen See (p. 86). De l'autre côté du Landwehrkanal se trouve le célèbre zoo de Berlin (p. 134).

Le Tiergarten est traversé par la Strasse des 17 Juni, où s'élève un mémorial soviétique et où se tient un marché aux puces. De grandes fêtes, dont le Christopher Street Day (p. 28), y sont organisées, souvent du côté de la colonne de la Victoire (Siegessäule ; p. 85).

> 10 KURFÜRSTENDAMM

**SE FONDRE DANS LA FOULE DU BOULEVARD
LE PLUS CHIC DE LA CAPITALE**

Impossible de visiter Berlin sans aller flâner sur le Kurfürstendamm (ou "Ku'damm"), à Charlottenburg. Avec la Tauentzienstrasse qui le prolonge, il forme la plus longue et la plus animée des artères commerçantes de la ville. Au beau milieu des centres commerciaux, des grandes enseignes et des boutiques chic se dresse l'église du Souvenir (p. 135), évocation poignante de l'absurdité de la guerre.

Le Ku'damm, qui s'étend sur 3,5 km, était à l'origine une piste cavalière menant au pavillon de chasse royal de la forêt de Grunewald. C'est Bismarck qui, au début des années 1870, le fit transformer en un boulevard digne de la capitale du nouveau Reich : bordé de superbes hôtels particuliers et de larges trottoirs se prêtant à la promenade, il devint le lieu le plus en vue de la ville.

Dans les années 1920, hôtels, boutiques de luxe, galeries d'art et restaurants ouvrirent le long du boulevard, tandis que de nombreux théâtres et cinémas lui donnaient de faux airs de Broadway. Plus récemment, des édifices à l'architecture remarquable, comme le Neues Kranzler Eck (carte p. 133, E2), y ont été bâtis. Voir aussi p. 132.

>11 PORTE DE BRANDEBOURG

POSER DEVANT LE MONUMENT PHARE DE BERLIN

Comment oublier les images de la porte de Brandebourg le 9 novembre 1989 ? La foule en liesse perchée sur le Mur, les gens s'embrassant sans se connaître et serrant la main aux gardes-frontières... La guerre froide était bel et bien terminée, poussée dans le passé par un bel élan d'espoir et de liberté.

Carl Gotthard Langhans s'inspira de l'Acropole d'Athènes pour dessiner ce majestueux monument, édifié en 1791. De près, vous pourrez constater que les intervalles séparant les colonnes sont irréguliers. À la famille royale était réservé l'honneur de franchir l'arche du milieu, la plus large. Son entourage empruntait les passages latéraux tandis que le peuple, lui, devait se contenter des plus étroits, sur l'extérieur.

Au sommet de la porte trône le *Quadrige* de Johann Gottfried Schadow, sculpture représentant la déesse de la Victoire conduisant un char tiré par quatre chevaux. Après avoir vaincu la Prusse en 1806, Napoléon Ier le fit démonter et transporter à Paris, avant qu'un général prussien ne le ramène à Berlin en 1815.

Superbement restaurée, la porte de Brandebourg sert désormais de décor aux célébrations du Nouvel An, chaque année très animées, et à de grands événements. Voir infos pratiques p. 46.

>12 PRENZLAUER BERG
FLÂNER DANS LE BERLIN BRANCHÉ

Secteur autrefois négligé, Prenzlauer Berg a bénéficié d'un tel bain de jouvence depuis la réunification qu'il est devenu l'un des quartiers berlinois les plus en vogue. Il ne compte aucun site célèbre mais possède un charme indéniable, avec ses immeubles aux façades ornementées, remarquablement restaurés, ses cours tranquilles comme la Hirschhof (carte p. 89, B3 ; entrée entre les n°18 et 19 de l'Oderberger Strasse), dédiée à l'art, ses lieux alternatifs comme la Tuntenhaus (carte p. 89, B4 ; Kastanienallee 86), où vit une communauté de punks gays, ses boutiques de créateurs de la Kastanienallee et de l'Oderberger Strasse, rues chic et bohèmes, et ses nombreux cafés permettant de profiter du spectacle ambiant.

La Kastanienallee est particulièrement animée du côté de la station de U-Bahn Eberswalder Strasse, où vous pourrez goûter aux légendaires saucisses de Konnopke's Imbiss (p. 95). Plus à l'ouest, le parc du Mur (Mauerpark ; p. 90 ; photo) occupe une partie de l'ancienne "bande de la mort". Il abrite un marché aux puces le dimanche (p. 92) et un tronçon du mur de Berlin officiellement dévolu aux artistes de rue. À l'est de la Schönhauser Allee, le Kulturbrauerei (p. 99), ancienne brasserie transformée en centre culturel, marque l'entrée dans le quartier très bobo de la Kollwitzplatz (p. 90). Au nord de la Danziger Strasse, le quartier de l'Helmholtzplatz et de la Stargarder Strasse est moins chic et plus bohème. Les bars y sont plus animés et les boutiques plus excentriques. Voir aussi p. 88.

>13 CABARET ET VARIÉTÉS

ASSISTER À UN SPECTACLE DE CABARET FAÇON ANNÉES FOLLES

Le cabaret est né dans les années 1880 à Paris et s'est encanaillé à Berlin dans les années 1920. Sous la république de Weimar, créativité et décadence sont à leur apogée, en dépit de l'inflation galopante et de l'instabilité politique (ou peut-être grâce à elles). Les spectacles fantaisistes et suggestifs et les artistes (travestis, chanteurs, magiciens, danseurs et autres amuseurs) aident le public à oublier les dures réalités du quotidien. *L'Ange bleu* (1930) avec Marlene Dietrich et la comédie musicale de Bob Fosse, *Cabaret* (1972), avec Liza Minnelli, ont porté à l'écran toute la vitalité de cette époque.

Depuis dix ans, le cabaret fait son grand retour, emmené par l'euphorie créatrice qui a suivi la réunification. Plus policés que durant les Années folles, les spectacles actuels sont surtout des variétés dansées. Le lieu le plus avant-gardiste, le Bar jeder Vernunft (p. 143), propose notamment une reprise de *Cabaret*, jouée à guichets fermés. Le Friedrichstadtpalast (p. 74) est le plus grand théâtre de revues musicales d'Europe. Si vous aimez les endroits plus intimes, essayez le Chamäleon Varieté (p. 72). L'Admiralspalast (p. 54 ; photo) présente des comédies musicales. Attention à ne pas confondre le cabaret avec le *Kabarett*, spectacle de satire politique.

>14 BERLIN À VÉLO

SILLONNER LES PISTES CYCLABLES DE LA CAPITALE

Ville au relief relativement plat, Berlin se prête merveilleusement bien au vélo. Les Berlinois de tous âges et de tous milieux apprécient ce moyen de transport, et le nombre de cyclistes a plus que doublé en 10 ans (400 000 par jour, soit 12 % de la circulation en ville). Les vélos sont omniprésents, attachés à des poteaux ou à des points de stationnement dans la rue, encombrant les halls et les cours d'immeubles. Les voitures doivent leur cèder le passage aux carrefours. Pour ne rien gâcher, un investissement de 2,5 millions d'euros a permis à la ville de se doter de 130 km de pistes cyclables.

Le vélo est aussi un moyen de transport recommandé pour le visiteur. Il ne pollue pas et permet de couvrir aisément de longues distances. Et si l'on veut échapper à la circulation automobile, on peut emporter son vélo dans les rames du U-Bahn et du S-Bahn et mettre le cap sur la campagne. Les sportifs apprécieront le Berliner Mauerweg (p. 161), une piste balisée de 160 km qui court le long des anciennes fortifications frontalières. Le parcours est ponctué de 40 panneaux informatifs en plusieurs langues.

Reportez-vous p. 186 pour la location de vélos, et p. 187 pour des informations sur les visites guidées à vélo.

>AGENDA

Comme en témoigne son calendrier bien rempli, Berlin aime faire la fête. Toute l'année ont lieu concerts, spectacles de rue, rencontres sportives, foires et festivals en tous genres – cinéma, fétichisme, musique, mode, pornographie, voyage, etc. Le Christopher Street Day et la Saint-Sylvestre attirent des milliers de visiteurs, remplissant les hôtels, les restaurants et les lieux de sortie au maximum de leur capacité. L'office du tourisme (www.visitberlin.de) dispose d'un calendrier des manifestations et peut vous aider à réserver places de spectacle et hébergement. Les magazines *Tip* (www.tip-berlin.de) et *Zitty* (www.zitty.de), en allemand, sont les sources d'information les plus à jour sur ce qui se passe en ville.

La cathédrale (p. 45) transfigurée lors du Festival des lumières (p. 30)

Sculpture de sable du festival Sandsation (p. 28)

JANVIER

Internationale Grüne Woche

www.gruenewoche.de

La Semaine verte internationale – foire d'une semaine consacrée aux produits alimentaires, à l'agriculture et au jardinage – est un excellent prétexte pour goûter des denrées exotiques en provenance du monde entier.

Lange Nacht der Museen

www.lange-nacht-der-museen.de

Pour la Nuit des musées (derniers samedis de janvier et d'août), 100 musées ouvrent leurs portes jusqu'à minuit (au moins).

Transmediale

www.transmediale.de

Référence en matière de culture numérique, ce festival des nouveaux médias s'intéresse à l'influence des technologies numériques sur la société contemporaine et la création artistique.

FÉVRIER

Berlinale

www.berlinale.de

Stars, starlettes, réalisateurs, critiques et célébrités du monde entier affluent au Festival international du film de Berlin. Au programme : projections – suivies de soirées de gala – deux semaines durant, avant la remise des Ours d'or et d'argent. De nombreux cinémas affichent rapidement complet ; réservez tôt.

MARS

Internationale Tourismus Börse
www.itb-berlin.de
La plus grande foire internationale du tourisme au monde ouvre au public le week-end.

MaerzMusik
www.maerzmusik.de
Ce festival de musique contemporaine permet d'écouter aussi bien des orchestres symphoniques que des groupes expérimentaux. Nombreux morceaux inédits ou composés sur commande.

AVRIL

Achtung Berlin
www.achtungberlin.de
Organisé au Kino Babylon (p. 72), ce festival rend hommage aux films dédiés à la capitale

réalisés par des maisons de production berlinoises. De nombreux auteurs, réalisateurs et producteurs assistent aux projections.

Festtage
www.staatsoper-berlin.org
Créé en 1996 par Daniel Barenboïm, directeur de l'Opéra national, ce festival programme de grands opéras interprétés par des artistes de premier plan. Richard Wagner est souvent mis à l'honneur.

MAI

Karneval der Kulturen
www.karneval-berlin.de
Ce carnaval célèbre l'esprit multiculturel de la ville. Un grand défilé mettant en scène danseurs et musiciens en costumes flamboyants parcourt les rues de Kreuzberg.

Theatertreffen Berlin
www.theatertreffen-berlin.de
Pendant 3 semaines, les Rencontres théâtrales de Berlin présentent de nouvelles

FOLIE DU 1er MAI
Tous les 1er mai, de gigantesques manifestations altermondialistes envahissent les quartiers centraux de la ville (notamment Kreuzberg). Les plus prudents veilleront à les éviter, d'autant que les groupes d'extrême droite programment leurs marches le même jour. L'important dispositif policier mis en place n'empêche pas le chaos – affrontements, vandalisme, incendies de voitures – de s'installer en quelques heures. Encore une fois, veillez à garder vos distances.

pièces jouées par de jeunes compagnies ou des acteurs plus expérimentés venus d'Allemagne, d'Autriche et de Suisse.

JUIN

Christopher Street Day

www.csd-berlin.de

La ville se pare des couleurs de l'arc-en-ciel à l'occasion de la Gay Pride berlinoise. Au programme : beaux mâles torses nus, travestis et drag-queens à gogo. Hétéros bienvenus.

Fête de la musique

www.lafetedelamusique.com

Le 21 juin, premier jour de l'été, est célébré en beauté par des centaines de concerts gratuits.

Sandsation

www.sandsation.de

De début juin à fin août, les sculpteurs de sable laissent libre cours à leur imagination à côté de la Hauptbahnhof (gare centrale). Certaines réalisations font plus de 6 m de haut.

JUILLET

Classic Open Air Gendarmenmarkt

www.classicopenair.de

Pendant 5 jours, une série de concerts en plein air fait le bonheur des connaisseurs massés sur les gradins face à la Schauspielhaus (Konzerthaus). Si vous

n'avez pas de billet, vous pouvez toujours tendre l'oreille de l'autre côté de la barrière.

Museumsinsel Festival

www.museumsinselfestival.info

Percussions mongoles, électrotango argentin et atelier de danse de Bollywood figurent au programme de ce festival international qui anime le Lustgarten tout l'été.

AOÛT

Berliner Bierfestival

www.bierfestival-berlin.de

Le plus grand *Biergarten* au monde, avec 2 km de stands tenus par 250 brasseurs du monde entier le long de la Karl-Marx-Allee.

Fuckparade

www.fuckparade.org

Non, ce n'est pas ce que vous pensez ! La Fuckparade est une manifestation antifasciste. Habillez-vous en noir pour être dans le ton.

Internationale Funkausstellung

www.ifa-berlin.de

Cette immense foire internationale de l'électronique vous donnera une idée des derniers gadgets qui s'arracheront à Noël.

SEPTEMBRE

Berlin Marathon

www.berlin-marathon.com

Stand de l'un des nombreux marchés de Noël (p. 30) de la ville

Joignez-vous aux 50 000 participants de la plus grande course à pied du pays, qui a enregistré 9 records du monde depuis 1977.

Internationales Literaturfestival

www.literaturfestival.com

Lectures, ateliers et événements divers en présence de nombreux auteurs du monde entier.

Musikfest Berlin

www.berlinerfestspiele.de

Chefs d'orchestre, solistes et orchestres de renommée mondiale donnent pendant deux semaines des concerts à la Philharmonie (p. 87) et à la Kammermusiksaal (carte p. 81, E2).

OCTOBRE

Art Forum Berlin

www.art-forum-berlin.com

Découvrez les nouvelles tendances de l'art dans cette foire internationale réputée, qui rassemble grands galeristes, artistes, collectionneurs et simples curieux.

Festival des lumières

www.city-stiftung-berlin.eu

Durant deux semaines, éclairages, projections et feux d'artifice transfigurent les grands sites historiques de Berlin, notamment la tour de la télévision, la cathédrale et la porte de Brandebourg.

Porn Film Festival

www.pornfilmfestivalberlin.de

Pornographie japonaise, indépendante, tendance science-fiction, grands classiques... la "Berlinale" du sexe porte tous les genres à l'écran.

You Berlin

www.you.de

Le plus grand salon européen de la jeunesse, pour rester branché dans tous les domaines – mode, sport, beauté et art de vivre. En bonus : concerts, enregistrements en live d'émissions TV et agents de casting à l'affût.

NOVEMBRE

Berlin Biennale

www.berlinbiennale.de

Fondée en 1997 par l'association à but non lucratif Kunst-Werke Berlin (p. 64), cette biennale d'art contemporain organise des expositions dans des sites insolites.

Jazzfest Berlin

www.jazzfest-berlin.de

Jeunes talents et têtes d'affiche se produisent dans de nombreuses salles de la ville lors de ce festival de jazz très réputé, qui fait swinguer Berlin depuis 1964.

Laternenfest

Si vous êtes venu en famille, joignez-vous aux enfants qui défilent le 11 novembre avec leurs parents et les gens du quartier dans les rues de la ville à la nuit tombée, lanternes à la main, en l'honneur de Saint-Martin.

DÉCEMBRE

Marchés de Noël

www.berlin.de/orte/weihnachtsmaerkte

Décorations scintillantes et vin chaud sont quelques-uns des atouts des marchés de Noël qui se tiennent tout au long du mois en divers lieux, notamment sur la Breitscheidplatz (carte p. 133, F2) et l'Alexanderplatz (carte p. 57, C1).

Saint-Sylvestre

www.silvester-in-berlin.de

Accueillez la nouvelle année en embrassant de parfaits inconnus, en vous extasiant devant un feu d'artifice et en buvant du *Sekt* (un vin pétillant) au goulot. La porte de Brandebourg (p. 46) est au cœur de l'action, même si les puristes préfèrent la colline de Kreuzberg, dans le Viktoriapark (carte p. 113, A5).

>ITINÉRAIRES

Revenez au temps de la grandeur prussienne au château de Charlottenburg (p. 12)

ITINÉRAIRES

Ne vous laissez pas intimider par la taille de Berlin : la plupart des grands monuments sont réunis dans un petit périmètre du centre-ville, et les autres sites sont aisément accessibles en transports en commun. Voici quelques idées pour planifier votre séjour.

PREMIER JOUR

Levez-vous tôt pour accéder au dôme du Reichstag (p. 78) avant qu'une foule de touristes ne s'y presse, puis dirigez-vous vers le sud jusqu'à la porte de Brandebourg (p. 46), avant de partir explorer le labyrinthe du mémorial de l'Holocauste (p. 48). Poursuivez par une découverte de la Potsdamer Platz (p. 80). De là, prenez le U2 jusqu'à la station Stadtmitte : faites un crochet par Checkpoint Charlie (p. 114), qui vous ramènera au temps de la guerre froide, avant d'aller faire un peu de shopping dans les Friedrichstadtpassagen (p. 52). Après avoir déjeuné sur le pouce, marchez jusqu'à la belle place du Gendarmenmarkt (p. 47), puis vers le nord jusqu'à Unter den Linden (p. 42). Remontez la grande avenue berlinoise vers l'est jusqu'à la cathédrale (Berliner Dom ; p. 45). Gardez l'île des Musées (Museumsinsel), qui demande de l'énergie, pour un autre jour. Allez plutôt flâner dans les allées sinueuses du Scheunenviertel (p. 62), où vous trouverez des boutiques d'art, de mode et d'accessoires typiquement berlinois. Une adresse pour dîner ? Le Schwarzwaldstuben (p. 70). Et pour prolonger la soirée, rendez-vous sur la piste du Clärchens Ballhaus (p. 74), au cadre rétro délirant.

DEUXIÈME JOUR

Consacrez la matinée aux trésors de l'Antiquité du musée de Pergame (p. 50) et à la reine Néfertiti, au Nouveau Musée (p. 49). Prenez ensuite le tram M1 vers le nord et descendez à l'arrêt Eberswalder Strasse pour flâner dans les rues de Prenzlauer Berg, quartier bobo joliment restauré. Faites un détour par la Kulturbrauerei (p. 99), puis déambulez jusqu'à la verdoyante Kollwitzplatz (p. 90). Offrez-vous une pause goûter chez Anna Blume (p. 96) avant d'aller jeter un œil aux boutiques indépendantes de la Kastanienallee et de l'Oderberger Strasse, tout en cheminant vers le

---

En haut à gauche La Bergmannstrasse (p. 112), à Kreuzberg Ouest, jalonnée de boutiques et de restaurants
En haut à droite L'architecture du fabuleux musée Bode, sur l'île des Musées (p. 46), joue savamment avec la lumière
En bas Les pensionnaires de l'Aquadom du Sea Life Berlin (p. 59)

Mauerpark et la Bernauer Strasse (p. 90), deux endroits emblématiques de l'histoire du mur de Berlin. Vous trouverez de nombreux restaurants dans le secteur : reprenez des forces au Fellas (p. 95), à l'Oderquelle (p. 95) ou au Si An (p. 96), puis poursuivez la soirée autour de quelques verres au Klub der Republik (p. 98).

TROISIÈME JOUR

Commencez par une visite du château de Charlottenburg : ne manquez pas la Nouvelle Aile (Neuer Flügel ; p. 136) ni le merveilleux parc. Quand il fait beau, il est très agréable de revenir jusqu'à Mitte en bateau (p. 188) – l'embarcadère se trouve sur le côté est du palais. Sinon, prenez le U2 à Sophie-Charlotte-Platz jusqu'à Wittenbergplatz, où vous pourrez satisfaire vos envies de shopping au grand magasin KaDeWe (p. 146) –

Sensation de liberté au bord de la Spree

le rayon alimentation est particulièrement appétissant. Poursuivez vers l'ouest par la Tauentzienstrasse jusqu'au réputé Kurfürstendamm, que jalonnent les grandes enseignes internationales. Pour une ambiance plus bohème, prenez le bus M19 de Wittenbergplatz jusqu'à Mehringdamm, à Kreuzberg. Après avoir dégusté une *Currywurst* (saucisse saupoudrée de curry) chez Curry 36 (p. 118), flânez de boutique en boutique le long de la charmante Bergmannstrasse. Optez pour un dîner chic chez Hartmanns (p. 103) ou pour les spécialités locales de Henne (p. 104) ou de Hasir (p. 104), puis terminez par un verre au Freischwimmer (p. 107) ou au Club der Visionäre (p. 110).

BERLIN PAS CHER

En s'y prenant bien, il est possible de dépenser peu à Berlin, tout en programmant un séjour bien rempli. L'ascenseur menant au sommet du dôme du Reichstag (p. 78) est gratuit. L'accès à l'East Side Gallery (p. 124) – un tronçon du mur de Berlin – l'est également, tout comme celui au mémorial de l'Holocauste (p. 48). Arpenter les rues ne coûte rien non plus ; or Berlin compte de nombreuses avenues intéressantes, comme la célèbre Unter den Linden (p. 42), la rutilante Friedrichstrasse (p. 44), la Bergmannstrasse (p. 112), plus bohème, ou la grandiloquente Karl-Marx-Allee (p. 124). Une promenade le long de la Spree offre quant à elle l'occasion de découvrir le nouveau quartier du Gouvernement.

PRÉPARER SON VOYAGE

Deux ou trois mois avant le départ Consultez le site de l'office du tourisme de Berlin (www.visitberlin.de) : vous y trouverez des infos sur les événements à venir et pourrez acheter vos billets en ligne. Les salles de spectacle ont en général leur propre site, où figurent une programmation détaillée et les lieux de vente des billets. Les billets pour la Philharmonie (p. 87) et l'Opéra national Unter den Linden (p. 55) se vendant très vite, mieux vaut réserver le plus tôt possible. Il en est de même pour les grands matchs de football (finale de la ligue fin mai, matchs de la Bundesliga – en particulier entre le Hertha Berlin et le Bayern de Munich).

Un mois avant le départ Surfez sur les sites Internet dédiés à Berlin (voir p. 105) pour étudier les dernières tendances et l'actualité berlinoise. Consultez également les sites des magazines *Tip* (www.tip-berlin.de) et *Zitty* (www.zitty.de).

Une semaine avant le départ Réservez votre dîner du week-end dans un restaurant branché ou sélect comme l'Uma (p. 53) ou le Spindler & Klatt (p. 105). Pour les restaurants plus ordinaires, vous pouvez vous contenter de réserver la veille, voire le jour même.

Consultez les magazines *Tip* (www.tip-berlin.de) et *Zitty* (www.zitty. de) pour des infos sur les vernissages, festivals, conférences et autres événements non payants, tels que les sessions de jazz du A-Trane (p. 142), les concerts donnés à 12h à la Philharmonie (p. 87) ou encore certains concerts de rock du Magnet (p. 99).

UN JOUR DE PLUIE

Berlin compte plus de musées – 175 en tout, des incontournables comme le Pergame (p. 50) aux petits joyaux tel le Käthe-Kollwitz (p. 135) – que de jours de pluie et il y a toujours de quoi faire ici lorsque le temps est maussade. Commencez par un petit déjeuner copieux – parfois servi jusqu'en début d'après-midi, comme chez Anna Blume (p. 96), Brel (p. 140) ou Tomasa (p. 119). Si vous aimez le shopping, filez ensuite au KaDeWe (p. 146) ou faites les boutiques des Friedrichstadtpassagen (p. 52). Sinon, continuez à vous détendre au Liquidrom (p. 121) – piscine, sauna et bar – ou allez prendre un cocktail au bar du légendaire Hotel Adlon (p. 48), où descendent les célébrités. Les amateurs de cinéma

Le Quartier 206, galerie commerçante raffinée et rétro des Friedrichstadtpassagen (p. 52)

trouveront dans les magazines *Tip* et *Zitty* les horaires des derniers blockbusters hollywoodiens projetés (en v.o.) au Cinestar Original (p. 87), et ceux des films d'art et d'essai de l'Arsenal (p. 87), deux cinémas du Sony Center.

BERLIN LE DIMANCHE

Exception faite des boutiques, le dimanche tout est ouvert : musées, sites touristiques, croisières, cinémas, théâtres, salles de concert et cabarets. L'animation bat son plein dans les cafés ; les fêtards de la veille paressent autour d'un brunch jusque vers 15h-16h ; à l'heure du goûter, la tradition allemande du *Tee und Kuchen* (thé, ou café, accompagné d'une pâtisserie) attire les gourmands, toutes générations confondues. Les inconditionnels du shopping se rabattront sur un *Flohmarkt* (marché aux puces) : ceux du Mauerpark (p. 92) et de l'Arkonaplatz (p. 91), presque contigus, sont les plus intéressants. Si vous aimez faire la fête, ne manquez pas les chaleureux afters du Club der Visionäre (p. 110). La soirée disco "Café Fatal" du SO36 (p. 110) – précédée d'une leçon de danse et d'un spectacle – et la soirée gay "GMF" du Weekend (p. 61) font partie des "*Sunday-Nights*" les plus appréciées.

Soirée de rêve dans le décor Art nouveau des Hackeschen Höfe (p. 64)

LES QUARTIERS DE BERLIN

En grande partie reconstruite après la Seconde Guerre mondiale, Berlin est une ville moderne, très étendue, composée d'une mosaïque de quartiers au caractère singulier, que les habitants surnomment affectueusement les *Kieze*.

Les sites les plus intéressants étant assez proches les uns des autres, et le réseau de transports en commun très dense, il est possible de voir beaucoup en peu de temps. Au centre, le quartier historique de Mitte, cocktail détonant de culture, d'architecture et de commerces variés, abrite notamment l'île des Musées, le mémorial de l'Holocauste, la tour de la télévision et la porte de Brandebourg, au nord-ouest de laquelle se trouvent le quartier du Gouvernement et le Reichstag. À l'est, Unter den Linden évoque les beaux jours de la royauté prussienne, tandis que l'élégante Friedrichstrasse est bordée de boutiques et de théâtres. Au nord de la trépidante Alexanderplatz, le Scheunenviertel est jalonné de quantité de bars, restaurants, galeries et boutiques de design.

Au nord de Mitte s'étendent Prenzlauer Berg et ses jolies avenues émaillées de cafés et de boutiques. Au sud, Kreuzberg abrite deux sites incontournables : Checkpoint Charlie et le Musée juif. L'est de ce quartier animé et métissé, où vit une importante communauté turque, compte de nombreux bars et clubs, au bord de la Spree, le long de l'Oranienstrasse et autour de la porte de Cottbus ; du côté de la Bergmannstrasse, à l'ouest du quartier, règne une atmosphère plus hippy-chic.

De l'autre côté de la Spree, Friedrichshain, encore marqué par son passé ouvrier, est un quartier jeune, tourné vers le futur. Ses atouts : une vie nocturne intense, le plus long tronçon du Mur et la Karl-Marx-Allee.

À l'ouest de Mitte, le magnifique parc de Tiergarten, accolé au quartier de la Potsdamer Platz – ensemble urbain le plus ambitieux d'après la réunification – s'étend vers Charlottenburg. L'ancien cœur de Berlin-Ouest, dont le Kurfürstendamm attire les amateurs de shopping et le château dont les passionnés d'histoire, est un quartier résidentiel et huppé. Un peu plus au sud, Schöneberg est connu pour son quartier gay et lesbien – autour de la Nollendorfplatz – et pour le marché de la Winterfeldplatz.

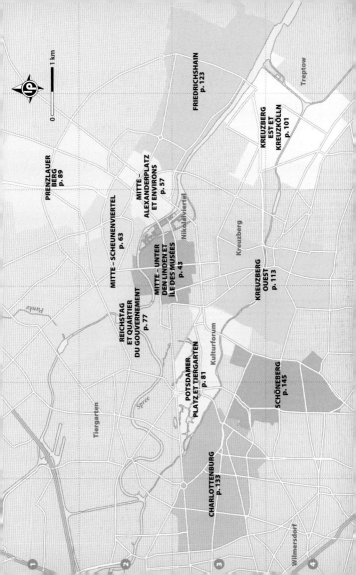

0   1 km

PRENZLAUER
BERG
p. 89

FRIEDRICHSHAIN
p. 123

Treptow

KREUZBERG
EST ET
KREUZKÖLLN
p. 101

MITTE –
SCHEUNENVIERTEL
p. 63

MITTE –
ALEXANDERPLATZ
ET ENVIRONS
p. 57

Nikolaiviertel

REICHSTAG
ET QUARTIER
DU GOUVERNEMENT
p. 77

MITTE – UNTER
DEN LINDEN ET
ÎLE DES MUSÉES
p. 43

Kreuzberg

KREUZBERG
OUEST
p. 113

Panke

Tiergarten

Spree

Kulturforum

POTSDAMER
PLATZ ET TIERGARTEN
p. 81

SCHÖNEBERG
p. 145

CHARLOTTENBURG
p. 133

Wilmersdorf

1

2

3

4

>MITTE – UNTER DEN LINDEN ET ÎLE DES MUSÉES

Même les plus blasés en conviendront, le centre historique de Berlin a quelque chose de magnétique. Autrefois situé à Berlin-Est, Mitte (littéralement le "milieu") a retrouvé sa place au cœur de la ville en même temps que son prestige. Les monuments les plus célèbres de la capitale sont réunis ici, alignés tels des soldats prussiens à la revue le long d'Unter den Linden. Ce ruban de splendeurs baroques et d'édifices néoclassiques

MITTE – UNTER DEN LINDEN ET ÎLE DES MUSÉES

VOIR

Ancienne Galerie nationale	1	E1
Ancien Musée	2	E2
Bebelplatz	3	D3
Berliner Dom	4	F2
Centre d'informations sur le château de Berlin	5	E3
Musée Bode	6	E1
Porte de Brandebourg	7	A3
Musée Guggenheim	8	D2
Église allemande	9	D4
Musée de l'Histoire allemande	10	E2
DZ Bank	11	B3
Musée Emil Nolde	12	D3
Église française	13	D3
Église Friedrich-swerdersche	14	E3
Gendarmenmarkt	15	D3
Bunker d'Hitler	16	B4
Mémorial de l'Holocauste	17	A3
Centre d'informations du mémorial de l'Holocauste	18	B3
Hotel Adlon Kempinski	19	B3
IM Pei Bau	20	E2
Musée Kennedy	21	B2
Madame Tussauds	22	B2
Neue Wache	23	E2
Nouveau Musée	24	E2
Pariser Platz	25	B3
Musée de Pergame	26	E1
Statue équestre de Frédéric le Grand	27	D2
Ancien site du palais de la République/futur Forum Humboldt	28	F2
Hall d'exposition temporaire	29	F2

SHOPPING

Berlin Story	30	C2
Contemporary Fine Arts	31	E2
Dussmann	32	C2
Fassbender & Rausch	33	D4
Friedrichstadtpassagen	34	D4
Galeries Lafayette	35	D3
Quartier 205	36	D4
Quartier 206	37	D3

SE RESTAURER

Cookies Cream	38	C3
Grill Royal	39	C1
Ishin	40	C2
Sagrantino	41	D3
Uma	42	B3
Zwölf Apostel	43	D1

PRENDRE UN VERRE

Bebel Bar	44	D3
Tadschikische Teestube	45	E2
Tausend	46	C1
Windhorst	47	C2

SORTIR

Admiralspalast	48	C1
Berliner Ensemble	49	C1
Cookies	50	C2
Felix Clubrestaurant	51	B3
Konzerthaus Berlin	52	D3
Opéra national	53	E3

LES QUARTIERS

MITTE – UNTER DEN LINDEN ET ÎLE DES MUSÉES

BERLIN >42

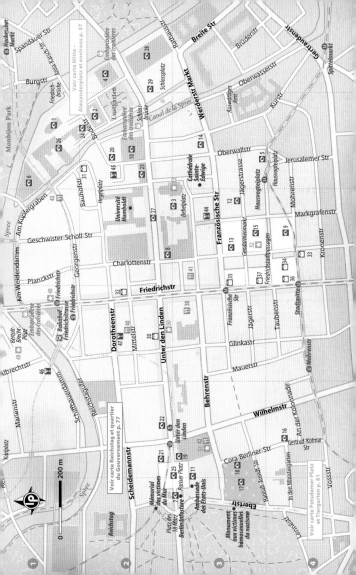

s'étire sur 1,5 km entre la porte de Brandebourg et l'île des Musées, qui en rassemble cinq, dont le Nouveau Musée, rouvert depuis peu.

En face, sur la Schlossplatz, une vaste pelouse et un hall d'exposition temporaire occupent l'espace laissé vacant par le démantèlement du palais de la République. La reconstruction du palais royal de Berlin, que cet édifice datant de la RDA avait remplacé, devrait débuter en 2011.

Si Unter den Linden est plutôt déserte le soir, la Friedrichstrasse, qui la coupe, ne l'est pas. Sa partie nord conduit au quartier des théâtres. Côté sud, elle est jalonnée de grandes enseignes, de bars et de restaurants, renouant avec son ancienne vocation d'avenue dévolue au luxe. Son chic s'est propagé à la place du Gendarmenmarkt voisine, la plus belle de Berlin.

VOIR

ANCIENNE GALERIE NATIONALE

Alte National Galerie ; ☎ 2090 5577 ; www.smb.spk-berlin.de ; Bodestrasse 1-3 ; tarif plein/réduit 8/4 € , gratuit moins de 16 ans et 18h-22h jeu ; ⏱ **10h-18h mar, mer, ven-dim, 10h-22h jeu ;** 🚌 **100, 200 ou TXL ;** ♿

BON PLAN
Si vous avez l'intention de visiter plusieurs musées de l'île des Musées, vous économiserez en optant pour le forfait d'une journée (12 € , tarif réduit 6 €), donnant accès à l'Ancien Musée (mais pas au Nouveau Musée), au musée Bode, à l'Ancienne Galerie nationale et au musée de Pergame. Sachez aussi que l'entrée de tous ces musées est gratuite pour les moins de 16 ans, et pour tout le monde le jeudi durant les 4 dernières heures d'ouverture. Les expositions temporaires ne sont pas comprises.

Cet édifice de l'île des Musées inspiré d'un temple grec présente une remarquable collection d'art européen du XIXᵉ siècle. Parmi les chefs-d'œuvre exposés figurent les paysages mystiques de Caspar David Friedrich, les portraits de Max Liebermann et les fresques d'Adolph Menzel.

ANCIEN MUSÉE
Altes Museum ; ☎ 2090 5577 ; www.smb.spk-berlin.de ; Am Lustgarten ; tarif plein/réduit 8/4 € , gratuit moins de 16 ans et 18h-22h jeu ; ⏱ **10h-18h mar, mer, ven-dim, 10h-22h jeu ;** 🚌 **100, 200 ou TXL ;** ♿
C'est à Karl Friedrich Schinkel que l'on doit ce musée doté d'une imposante façade à colonnes et d'une rotonde évoquant le Panthéon de Rome. On peut y admirer une collection d'art grec et d'art romain. L'Altes Museum doit être rénové dans le cadre de la restauration de l'île

des Musées et pourrait fermer, au moins partiellement, dans les années à venir.

BEBELPLATZ

100, 200 ou TXL

En 1933, les nazis organisèrent ici leur premier autodafé, brûlant des livres de Bertolt Brecht, Thomas Mann, Karl Marx et autres auteurs "subversifs". *La Bibliothèque engloutie* de Micha Ullmann, installée sous un panneau de verre au centre de la place, rappelle ce triste événement.

Les édifices majestueux qui bordent la place datent du règne de Frédéric le Grand, dont une **statue équestre** réalisée par Christian Rauch se dresse non loin, sur Unter den Linden.

CATHÉDRALE DE BERLIN

Berliner Dom ; ☎ 2026 9136 ; www.berliner-dom.de ; Am Lustgarten ; tarif plein/moins de 14 ans/réduit 5 €/gratuit/3 €, avec audioguide 8 €/ gratuit/6 € ; 🕐 9h-20h lun-sam, 12h-20h dim avr-sept, jusqu'à 19h oct-mars ; 🚌 100, 200 ou TXL ; ♿

Deux des monuments les plus imposants de la capitale : la cathédrale et la tour de la télévision (p. 59)

PATRIMOINE MONDIAL

Les cinq musées de la Museumsinsel ont été classés au patrimoine mondial par l'Unesco en 1999. Une distinction en partie obtenue grâce à un ambitieux projet qui prévoit de relier entre eux tous ces musées (sauf l'Ancienne Galerie Nationale) *via* un passage souterrain - l'Archäologische Promenade - pour former un complexe retraçant 6 000 ans d'histoire, d'art et de culture. Un édifice contemporain à colonnes, la James Simon-Galerie, en marquera l'entrée. Inauguration prévue en 2015. Plus d'infos sur www.museumsinsel-berlin.de.

Majestueuse, voire pompeuse, l'ancienne église (1905) de la famille royale prussienne fait aujourd'hui office de lieu de culte, de musée et de salle de concert. Grimpez jusqu'à la galerie pour admirer la mosaïque de verre ornant la coupole et la vue sur la ville. Ne manquez pas non plus l'orgue Sauer aux 7 269 tuyaux ni les sarcophages ouvragés du Grand Électeur et de Frédéric Ier.

☉ MUSÉE BODE

Bodemuseum ☎ 2090 5577 ; www.smb.spk-berlin.de/bode ; Monbijoubrücke ; tarif plein/réduit 8/4 € ; gratuit moins de 16 ans et 18h-22h jeu ; ☾ 10h-18h ven-mer, 10h-22h jeu ; ⛴ Hackescher Markt ou Oranienburger Strasse ; ♿
Occupant la pointe nord de l'île des Musées, ce musée majestueux recèle des œuvres byzantines, un cabinet des Monnaies, des peintures anciennes et, surtout, des sculptures européennes (du Moyen Âge au XVIIIe siècle) – admirez les chefs-d'œuvre de Tilmann Riemenschneider,

Donatello, Giovanni Pisano et Ignaz Günther.

☉ PORTE DE BRANDEBOURG

Brandenburger Tor ; Pariser Platz ; entrée libre ; ☾ 24h/24 ;
Ⓢ ⛴ Brandenburger Tor ; ♿
Symbole de division durant la guerre froide, elle incarne aujourd'hui la réunification allemande. Conçue en 1791 par Carl Gotthard Langhans, cette porte est la seule qui subsiste sur les dix-huit que comptait Berlin. Au sommet trône le *Quadrige*, représentant la déesse de la Victoire conduisant un char tiré par 4 chevaux. Voir aussi p. 21.

☉ MUSÉE GUGGENHEIM

☎ 202 0930 ; www.deutsche-guggenheim.de ; Unter den Linden 13-15 ; tarif plein/réduit/famille 4/3/8 € ; gratuit lun ; ☾ 10h-20h ven-mer, 10h-22h jeu ; 🚌 100, 200 ou TXL ; ♿
Un espace minimaliste sans comparaison avec les musées de New York ou Bilbao, où sont tout de même organisées des

expositions d'artistes de renom comme Eduardo Chillida, Georg Baselitz ou Gerhard Richter.

🅖 MUSÉE DE L'HISTOIRE ALLEMANDE

Deutsches Historisches Museum ; ☎ 203 040 ; www.dhm.de ; Unter den Linden 2 ; adulte/moins de 18 ans 5 €/gratuit ; 🕑 10h-18h ; 🚌 100, 200 ou TXL ; ♿

Un musée séduisant passant en revue 2 000 ans d'histoire allemande. Parmi les pièces les plus remarquables du musée figure un grand globe provenant du ministère des Affaires étrangères nazi, sur lequel l'Allemagne a disparu, détruite par des impacts de balle. Dans la cour, les masques de soldats mourants d'Andreas Schlüter valent tous les plaidoyers contre la guerre. Des expositions temporaires de premier ordre sont organisées dans l'**IM Pei Bau**, annexe aux formes géométriques prononcées portant le nom de son architecte, Ieoh Ming Pei.

🅖 MUSÉE EMIL NOLDE

☎ 4000 4690 ; www.nolde-stiftung.de ; Jägerstrasse 55 ; tarif plein/ réduit avec audioguide 10/5 € ; 🕑 10h-19h ; 🚇 Französische Strasse ou Hausvogteiplatz ; ♿

Fleurs colorées, mers démontées et femmes apprêtées, les toiles et aquarelles d'Emil Nolde

(1867-1956) sont intenses, parfois mélancoliques, toujours captivantes. Ce musée, aménagé dans une ancienne banque du XIXᵉ siècle, présente en rotation un choix d'œuvres de cette figure-clé de l'expressionnisme allemand.

🅖 ÉGLISE FRIEDRICHSWERDERSCHE

Friedrichswerdersche Kirche ; ☎ 2090 5577 ; www.smb.spk-berlin. de ; Werderscher Markt ; entrée libre ; 🕑 10h-18h ; 🚇 Hausvogteiplatz ; ♿

Cette église aux tourelles insolites, édifiée par Schinkel, abrite des sculptures du XIXᵉ siècle. Les admirateurs de l'architecte apprécieront l'exposition à l'étage, évoquant sa vie et son temps.

🅖 GENDARMENMARKT

🚇 Französische Strasse

La place la plus harmonieuse de la capitale doit son nom au régiment prussien des "Gens d'armes", constitué de huguenots français qui avaient trouvé refuge à Berlin. La **Französischer Dom** (église française), leur lieu de culte, abrite un petit musée dédié à leur histoire. En face, sa jumelle, la **Deutscher Dom** (église allemande), abrite une exposition peu palpitante sur la démocratie allemande. Entre les deux édifices se dresse la superbe Konzerthaus (p. 55).

◉ BUNKER D'HITLER
Angle In den Ministergärten et Gertrud-Kolmar-Strasse ; ◉ Mohrenstr
Berlin était en feu et subissait l'assaut des chars soviétiques quand Hitler se tira une balle dans la tête dans son bunker. Le site est désormais occupé par un parking. Seule une plaque rappelle qu'il y eut ici un vaste blockhaus, fournissant quelques détails sur son plan, sa construction et son histoire après la guerre.

◉ MÉMORIAL DE L'HOLOCAUSTE
Holocaust Denkmal ; ☎ 2639 4336 ; www.holocaust-mahnmal. de ; Cora-Berliner-Strasse 1 ; entrée libre ; ⌚ mémorial 24h/24, centre d'information 10h-20h mar-dim avr-sept, 10h-19h mar-dim oct-mars, dernière entrée 45 min avant fermeture ; ◉ ▣ Brandenburger Tor ; ♿
Site très émouvant conçu par Peter Eisenmann, le mémorial aux Juifs d'Europe victimes du nazisme compte 2 711 stèles disposées sur un sol ondulant, créant une atmosphère sombre et silencieuse. Visitez aussi le **centre d'information** (Ort der Information), aux expositions particulièrement poignantes.

◉ HOTEL ADLON KEMPINSKI
☎ 226 10 ; www.hotel-adlon.de ; Unter den Linden 77 ; ◉ ▣ Brandenburger Tor ; ♿

À deux pas de la porte de Brandebourg, ce fleuron du luxe à Berlin est l'ancien Grand Hotel, où fut tourné en 1932 le film éponyme avec Greta Garbo. Depuis son ouverture en 1907, il attire les célébrités : Charlie Chaplin, Albert Einstein et Michael Jackson. La star brandissant son fils à un balcon… c'était ici.

◉ MUSÉE KENNEDY
☎ 2065 3570 ; www.thekennedys. de ; Pariser Platz 4a ; tarif plein/réduit 7/3,50 € ; ⌚ 10h-18h ; ◉ ▣ Brandenburger Tor ; ♿
Berlin ne pouvait que rendre hommage à l'auteur du fameux *"Ich bin ein Berliner !"*. Cette petite exposition met l'accent sur l'homme plus que sur le politique : des notes griffonnées, sa serviette en croco, la toque en astrakan de Jackie et un album de *Superman* où le président figure en vedette.

◉ MADAME TUSSAUDS
☎ 4000 4600 ; www.madametussauds. com/berlin ; Unter den Linden 74 ; adulte/enfant/tarif réduit 19/14/18 € ; ⌚ 10h-19h, dernière entrée 18h ; ◉ ▣ Brandenburger Tor ; ▣ 100 ; ♿
Vous n'avez croisé aucune star en ville ? Vous aurez ici tout votre temps pour les photographier. La visite n'est pas donnée mais ce temple du kitsch est le seul

endroit où vous pourrez vraiment approcher Angelina Jolie, Boris Becker ou Obama !

◉ NOUVELLE GARDE

Neue Wache ; Unter den Linden 4 ; entrée libre ; ⏱ 10h-18h ; 🚌 100, 200 ou TXL ; ♿

Aujourd'hui mémorial dédié aux victimes de la guerre, cet ancien corps de garde royal fut réalisé par Schinkel à la façon d'un temple romain. Au centre, une poignante sculpture de Käthe Kollwitz représente un soldat mort dans les bras de sa mère.

◉ NOUVEAU MUSÉE

Neues Museum ; ☎ 2090 5555 ; www.smb.spk-berlin.de ; Bodestrasse 1-3 ; tarif plein/réduit 8/4 € gratuit moins de 16 ans ; ⏱ 10h-18h ven-mer, 10h-22h jeu ; 🚌 100, 200 ou TXL ; ♿

Après 10 ans de travaux pour un montant de 200 millions d'euros, le Nouveau Musée a rouvert ses portes en 2009. Il abrite le Musée égyptien (et le buste de Néfertiti), la collection de Papyrus, le musée de la Préhistoire et de la Protohistoire et la collection d'Antiquités. L'architecte David Chipperfield a harmonieusement intégré à l'édifice

Suite de l'Hotel Adlon Kempinski avec vue sur la porte de Brandebourg

LE FASTE PRUSSIEN, FAÇON XXIᵉ SIÈCLE

Rien sur l'actuelle Schlossplatz n'évoque le souvenir du Berliner Schloss, château grandiose où vécurent les monarques prussiens pendant cinq siècles. En 1951, en dépit de protestations internationales, la RDA démolit l'édifice, à peine endommagé par la guerre. À sa place, on érigea le **palais de la République** (Palast der Republik). C'est là que se réunissait le Parlement. La population y venait aussi à certaines occasions, écouter un concert de Harry Belafonte ou pour les fêtes du Nouvel An.

Après la chute du Mur, le palais fut immédiatement fermé en raison de la présence d'amiante. Après des années de débats, il fut finalement démoli. Il est prévu qu'une réplique de l'ancien château soit édifiée à son emplacement. Seule la façade doit être reconstruite à l'identique, l'intérieur devant abriter le futur **Forum Humboldt**, dédié à l'art et à la culture : il présentera les collections d'Afrique, d'Asie, d'Océanie et des Amériques aujourd'hui exposées à Dahlem, et comprendra une bibliothèque et un centre de recherches. Les travaux devraient s'achever en 2015, pour le 25ᵉ anniversaire de la réunification. Jetez un œil à la maquette du projet au **centre d'information du château de Berlin** (☎ 2067 3093 ; www.berliner-schloss.de ; Hausvogteiplatz 3 ; entrée libre ; ⏱ 9h30-18h ; ⊕ Hausvogteiplatz).

En attendant, une partie de cet espace est occupée par la **Temporäre Kunsthalle** (☎ 2045 3650 ; www.kunsthalle-berlin.com ; Schlossplatz ; tarifs variables ; ⏱ 11h-18h dim-ven, 11h-21h sam ; 🚌 100, 200 ou TXL), un hall d'exposition temporaire présentant des œuvres d'artistes de toutes nationalités installés à Berlin.

des pans de l'ancien monument endommagé par la guerre.

📷 PARISER PLATZ
⊕ 🚊 Brandenburger Tor ; 🚌 100, 200 ou TXL
La porte de Brandebourg veille sur cette élégante place confinée à l'est du Mur pendant la guerre froide. Des ambassades, des banques et l'Hotel Adlon s'y sont depuis réinstallés, comme au temps de sa gloire, au XIXᵉ siècle. Entrez dans la **DZ Bank**, conçue par Frank Gehry, et admirez l'extravagante salle de conférence de l'atrium. Juste à côté, la

nouvelle **ambassade des États-Unis** a été inaugurée en 2008.

📷 MUSÉE DE PERGAME
Pergamonmuseum ☎ 2090 5555 ; www.smb.spk-berlin.de ; Am Kupfergraben 5 ; tarif plein/réduit 8/4 € gratuit moins de 16 ans et 18h-22h jeu ; ⏱ 10h-18h ven-mer, 10h-22h jeu ; 🚌 100, 200 ou TXL ; ♿
Le plus fréquenté des musées berlinois regorge de chefs-d'œuvre du passé. Le tarif comprend un audioguide bien conçu qui vous permettra d'apprécier toute la valeur de pièces maîtresses telles que

l'imposant autel de Pergame, la magnifique porte bleue d'Ishtar et le palais du calife. Voir aussi p. 10.

SHOPPING

BERLIN STORY *Librairie*
☎ 2045 3842 ; **www.berlinstory.de** ;
Unter den Linden 26 ; ☾ **10h-20h** ;
🚇 🚊 **Friedrichstrasse**
La meilleure adresse si vous cherchez un livre, un magazine, une carte, un DVD ou un CD

consacré à Berlin. Beaucoup sont en langues étrangères et certains sont édités sur place. Ne manquez pas le petit film sur l'histoire de Berlin ni l'exposition en sous-sol avec une vieille Trabant et une maquette du Berlin de 1930.

CONTEMPORARY FINE ARTS *Galerie d'art*
☎ 288 7870 ; **www.cfa-berlin.com** ;
Am Kupfergraben 10 ; ☾ **10h-13h**

Pause à l'église Friedrichswerdersche (p. 47) lors d'une découverte de Berlin à vélo

et 14h-18h mar-ven, 11h-16h sam ;
🚇 🚊 Friedrichstrasse
Occupant un édifice minimaliste conçu par David Chipperfield, cette galerie séduira tous les visiteurs désireux de prendre la température artistique de Berlin, avec des œuvres de Georg Baselitz, Sarah Lucas, Jonathan Meese et Daniel Richter.

🏛 DUSSMANN – DAS KULTURKAUFHAUS
Livres et musique
☎ 2025 1111 ; www.kulturkaufhaus.de ; Friedrichstrasse 90 ; 🕐 10h-24h lun-sam ; 🚇 🚊 Friedrichstrasse
On perd vite la notion du temps dans cet antre gigantesque débordant de livres, DVD et CD et doté de coins lecture, d'un café et d'une scène pour les concerts, les débats politiques et les lectures d'auteurs souvent renommés.

🏛 FASSBENDER & RAUSCH *Confiserie*
☎ 2045 8443 ; www.fassbender-rausch.de ; Charlottenstrasse 60 ; 🕐 10h-20h lun-sam, 11h-20h dim ; 🚇 Französische Strasse
Si le chocolat était l'élixir des dieux pour les Aztèques, ce royaume de la truffe et de la praline est sans doute le paradis des gourmands. En bonus : un volcan en chocolat et des reproductions des monuments de Berlin.

🏛 FRIEDRICHSTADTPASSAGEN
Galerie commerçante
☎ 209 480 ; www.lafayette-berlin.de ; Friedrichstrasse 76 ; 🕐 10h-20h lun-sam ; 🚇 Französische Strasse
Boutiques de vêtements de grandes marques et de créateurs et espaces dédiés à la gastronomie jalonnent cette galerie dont les trois "quartiers" communiquent entre eux.
Ne manquez pas l'architecture en verre de Jean Nouvel à l'intérieur des **Galeries Lafayette**, le **Quartier 206** d'inspiration Art déco et la tour en pièces automobiles compressées de John Chamberlain du **Quartier 205**.

🍴 SE RESTAURER
🍴 COOKIES CREAM
Végétarien   €€€
☎ 2749 2940 ; www.cookiescream.com ; Friedrichstrasse 158 ; 🕐 à partir de 19h mar-sam ; 🚇 Französische Strasse ; ✗ Ⓥ
Son ambiance branchée et la qualité de sa cuisine font du Cookies Cream l'une des meilleures adresses confidentielles de la ville. Les savoureux plats végétariens servis dans un vaste espace style loft devraient allécher jusqu'aux carnivores les plus convaincus. Accès par l'allée de service du Westin Grand Hotel.

GRILL ROYAL
International   €€€

☎ 2887 9288 ; www.grillroyal.com ;
Friedrichstrasse 105b ; ⏱ à partir de
18h ; Ⓜ 🚇 Friedrichstrasse
Une adresse "m'as-tu-vu" où
politiciens, vedettes de cinéma,
mannequins et représentants
de la jeunesse dorée viennent
déguster des huîtres ou un steak
wagyu. Entrée au bord du canal,
au-dessous de l'hôtel. N'oubliez
pas votre carte Platinum !

ISHIN
Asiatique   €

☎ 2067 4829 ; www.ishin.de ;
Mittelstrasse 24 ; ⏱ 11h-22h lun-sam ;
Ⓜ 🚇 Friedrichstrasse ; ⌧
Cantine de sushis. 2/10 pour
le cadre, 10/10 pour la qualité
et la fraîcheur des ingrédients.
Les plateaux sont variés et
copieux, et on vous y ajoute
souvent un ou deux sushis en
plus. Les prix, déjà bas, baissent
encore pendant l'*happy hour*
(mercredi et samedi toute la
journée, 11h-16h les autres jours).
Thé vert à volonté.

SAGRANTINO
Italien   €€

☎ 2064 6895 ; www.sagrantino-
winebar.de ; Behrenstrasse 47 ;
⏱ 7h30-24h lun-ven, 9h-12h
et 17h-24h sam ; 🚇 Französische
Strasse ; ⌧

Tout ici rappelle l'Italie, au point
que l'on s'attend à voir par la
fenêtre les vignobles d'Ombrie,
région mise à l'honneur par cette
merveilleuse petite enseigne,
souvent prise d'assaut le midi
(formule pâtes-salade à 5,90 €).

UMA *Japonais*   €€€

☎ 301 117 333 ; www.ma-restaurants.
de ; Behrenstrasse 72 ; ⏱ 18h-24h
lun-sam ; Ⓜ 🚇 Brandenburger Tor ;
🚌 100, 200 ou TXL ; ⌧
L'Uma ("cheval" en japonais)
est la version décontractée du
MA, l'éblouissant restaurant de
Tim Raue, étoilé au Michelin. Les
saveurs s'entrecroisent comme
les fils d'une subtile tapisserie
– essayez les joues de porc à la
papaye et à l'oseille ou la "pizza"
à l'albacore. Hélas, il faut bien
3-4 plats (chacun entre 10 et 30 €)
pour se sentir rassasié.

ZWÖLF APOSTEL
Italien   €€

☎ 201 0222 ; www.12-apostel.
de ; Georgenstrasse 2 ; ⏱ 11h-24h ;
Ⓜ 🚇 Friedrichstrasse ; ⌧
Cet endroit situé sous les arches
du chemin de fer est parfait pour
une pause entre deux musées.
Dans un décor religieux kitsch,
on y sert des pizzas à pâte fine
au nom des 12 apôtres (toutes
à 6,90 € de 11h30 à 16h, du lundi
au vendredi).

⧠ PRENDRE UN VERRE

Ⓨ BEBEL BAR *Bar*

☎ 460 6090 ; www.hotelderome.com ; Behrenstrasse 37 ; ⌚ à partir de 9h ; Ⓡ Französische Strasse ; ✕

Rien de tel pour jouer les Cary Grant que le bar cosy à l'éclairage tamisé de l'Hotel de Rome. Mêlant alcools de qualité, fruits frais, herbes exotiques et épices, ses cocktails ont une touche glamour qui se marie bien à l'élégance de la clientèle.

Ⓨ TADSCHIKISCHE TEESTUBE *Café*

☎ 204 1112 ; Am Festungsgraben 1 ; ⌚ 17h-24h lun-ven, à partir de 15h sam-dim ; 🚌 100, 200 ou TXL ; ✕

Lieu enchanteur, cet authentique salon de thé tadjik caché dans un palais du XVIIIᵉ siècle fut offert par l'Union soviétique aux représentants de la RDA dans les années 1970. Étudiants, vieux hippies et touristes curieux siroteront sur des tapis orientaux le thé préparé dans des samovars argentés. Évitez d'y dîner.

Ⓨ TAUSEND *Bar*

☎ 460 6090 ; www.tausendberlin.com ; Schiffbauerdamm 11 ; ⌚ à partir de 21h mar-sam ; 🕔 Ⓡ Friedrichstrasse ; ✕

Pas d'enseigne, pas de néon, pas de sonnette, juste une lourde grille en fer sous un pont de chemin de fer avec une petite ouverture par laquelle on vous fera entrer dans un tunnel sombre et métallisé. Excellents cocktails et clientèle branchée, plaisante à observer.

Ⓨ WINDHORST *Bar*

☎ 2045 0070 ; Dorotheenstrasse 65 ; ⌚ à partir de 18h lun-ven, à partir de 21h sam ; 🕔 Ⓡ Friedrichstrasse

Les buveurs délicats souhaitant décompresser dans un cadre sophistiqué choisiront l'ambiance cinq étoiles de ce bar minuscule, dont le patron, Günter Windhorst, exerce son métier avec passion.

★ SORTIR

★ ADMIRALSPALAST *Théâtre*

☎ 4799 7499 ; www.admiralspalast. de ; Friedrichstrasse 101-102 ; 🕔 Ⓡ Friedrichstrasse

Ce théâtre des années 1920 remarquablement restauré programme pièces, concerts et comédies musicales grand public dans une salle d'époque. Deux salles plus modestes accueillent des spectacles plus intimistes (lectures, spectacles de danse, concerts et pièces de théâtre).

★ BERLINER ENSEMBLE *Théâtre*

☎ 2840 8155 ; www.berliner-ensemble. de ; Bertolt-Brecht-Platz 1 ; billets 5-30 € ; 🕔 Ⓡ Friedrichstrasse

Ce théâtre néobaroque abrite la compagnie fondée en 1949 par Bertolt Brecht. Son *Opéra de quat'sous* y fut joué pour la première fois en 1928. Le directeur artistique, Claus Peymann, perpétue l'héritage en pimentant le répertoire d'œuvres de Schiller, Beckett et autres grands dramaturges européens. Programmation de qualité et petits prix.

⭐ COOKIES *Club*
www.cookies-berlin.de ; Friedrichstrasse 158-164 ; 🕙 21h-5h mar, jeu et sam ; entrée 10 € ; Ⓤ Französische Strasse

Ce club légendaire, qui n'ouvrait qu'en milieu de semaine, propose désormais une soirée Crush le samedi. Il occupe un ancien cinéma de Berlin-Est, derrière le Westin Hotel. Aucune enseigne, entrée sélective, formidables cocktails et clientèle trentenaire. Peut-être apercevrez-vous des célébrités. L'entrée jouxte le magasin KPM.

⭐ FELIX CLUBRESTAURANT *Club*
☎ 206 2860 ; www.felixrestaurant.de ; Behrenstrasse 72 ; entrée 10 € ; 🕙 jeu-sam ; Ⓤ Ⓢ Brandenburger Tor ; 🚌 100, 200 ou TXL

Le club sélect de l'Hotel Adlon. Une fois franchie l'étape du videur, vous pourrez vous trémousser sur les tubes du moment, siroter un cocktail à base de champagne ou – qui sait ? – rencontrer l'âme sœur. Ambiance drague pour la soirée *after-work* du jeudi (à partir de 21h).

⭐ KONZERTHAUS BERLIN
Musique classique
☎ 203 090 ; www.konzerthaus.de ; Gendarmenmarkt 2 ; billets 10-100 € ; Ⓤ Französische Strasse

Ce temple de la musique classique conçu par Schinkel est le lieu de résidence du Konzerthausorchester, mais d'autres orchestres, tel le Rundfunk-Sinfonieorchester Berlin, viennent y donner des concerts.

⭐ OPÉRA NATIONAL UNTER DEN LINDEN *Opéra*
Staatsoper Unter den Linden ☎ 2035 4555 ; www.staatsoper-berlin. de ; Unter den Linden 5-7, jusqu'en 2013 représentations données Bismarckstrasse 110 ; billets 5-160 € ; Ⓤ Französische Strasse

L'opéra le plus prestigieux de Berlin est en cours de rénovation (sans doute jusqu'en 2013). En attendant, c'est au **Schiller Theater** de Charlottenburg (carte p. 133) que sont données les représentations de haut vol programmées par Daniel Barenboïm. Tous les opéras sont chantés dans leur langue d'origine.

>MITTE – ALEXANDERPLATZ ET ENVIRONS

Bruyante et chaotique, l'Alexanderplatz n'est pas le genre de lieu qui invite à la flânerie. Malgré les efforts déployés depuis la réunification pour l'égayer, elle reste une place sans âme, toute de béton, ce qui ne l'empêche pas d'attirer toujours autant de monde. "Alex" est un carrefour majeur et vous avez toutes les chances d'y passer vous aussi au cours de votre séjour, ne serait-ce que pour voir d'un peu plus près son principal monument, l'imposante tour de la télévision. Construite dans les années 1960, elle s'est longtemps dressé dans le ciel de Berlin comme un emblème de l'architecture communiste et forme aujourd'hui un excellent point de repère où que l'on se trouve en ville.

Sur l'esplanade principale demeure un autre souvenir de la RDA, la fontaine de l'Amitié entre les peuples, autour de laquelle se retrouvent marginaux couverts de piercings suivis de leurs pit-bulls, écoliers en balade et touristes penchés sur leur plan de la ville. Pour le reste, la place n'est qu'un enchevêtrement de routes, de lignes de métro et de voies de tramway que surplombent des bâtiments à l'architecture hétéroclite.

L'espace est un peu plus aéré à l'ouest de la tour, où les urbanistes de la RDA firent raser ce qui restait du vieux Berlin après la guerre, n'épargnant que l'église Sainte-Marie et l'hôtel de ville, avant de reconstruire non loin de là un pseudo quartier médiéval, le Nikolaiviertel.

ALEXANDERPLATZ ET ENVIRONS

◉ VOIR
Musée de la RDA 1 A2
Église Sainte-Marie........2 B2
Fontaine de Neptune ...3 B2
Nikolaiviertel 4 B3
Hôtel de ville 5 B3
Sea Life Berlin 6 A2
Tour de la télévision......7 C2

🛍 SHOPPING
Alexa 8 D2
Ausberlin 9 C1
Galeria Kaufhof 10 C1

🍴 SE RESTAURER
Atame 11 B1
Dolores 12 C1
Zur Letzten Instanz 13 D3

⭐ SORTIR
Bohannon ....(voir 11)
Casino Berlin 14 D1
Kino International 15 F2
Weekend 16 D1

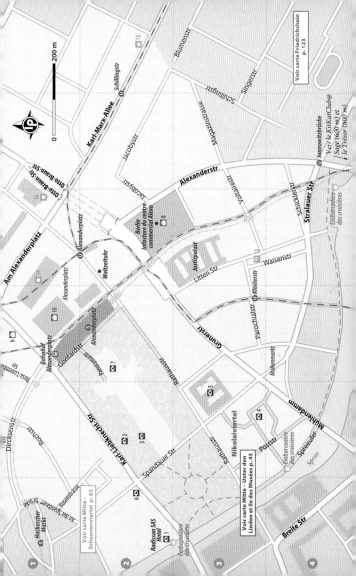

200 m

Karl-Marx-Allee

Schillingstr

Blumenstr

Singerstr

Voir carte Friedrichshain p. 123

Otto-Braun-Str

Jacobystr

Magazinstr

Schillingstr

Alexanderstr

Vers le KitKatClub@
Sage (600 m) et
le Trésor (800 m)

Jannowitzbrücke

Am Alexanderplatz

Alexanderplatz

Alexanderplatz

Berlin
Infostore du centre
commercial Alexa

Voltairestr

Schicklerstr

Stralauer Str

Embarcadère
des croisières

Weltzeituhr

Justizpalast

Litten Str

Waisenstr

Klosterstr

Parochialstr

Grunerstr

Bahnhof
Alexanderplatz

Gontardstr

Alexanderplatz

Panoramastr

Rathausstr

Rosa Luxemburg Str

Dircksenstr

Rochstr

Karl-Liebknecht-Str

Spandauer Str

Neptunbrunn

Rathausstr

Makkenmarkt

Nikolaiviertel

Poststr

Spreeufer

Spree

Embarcadère
des croisières

Mühlendamm

Voir carte Mitte –
Scheunenviertel p. 63

Hackescher
Markt

An der Spandauer Brücke

Rosenthalstr

Radisson SAS
Hotel

Embarcadère
des croisières

Voir carte Mitte – Unter den
Linden et île des Musées p. 43

Breite Str

VOIR

MUSÉE DE LA RDA

**DDR Museum ; ☎ 847 123 731 ;
www.ddr-museum.de ; Karl-Liebknecht-
Strasse 1 ; tarif plein/réduit 5,50/3,50 € ;
⏱ 10h-20h dim-ven, 10h-22h sam ;
🚌 100, 200 ou TXL ; ♿**

En Allemagne de l'Est, on mettait
tous les bébés sur le pot en même
temps, un ingénieur gagnait à
peine plus qu'un paysan et tout
le monde, semble-t-il, faisait du
nudisme l'été : c'est ce que révèle
ce musée interactif évoquant la
vie quotidienne derrière le rideau
de fer. Les fans du film *Good Bye,
Lenin !* adoreront.

La fontaine de Neptune devant l'église Sainte-Marie

ÉGLISE SAINTE-MARIE

**Marienkirche ; ☎ 242 4467 ;
www.marienkirche-berlin.de ;
Karl-Liebknecht-Strasse 8 ; ⏱ 10h-21h
avr-oct,10h-18h nov-mars ; 🚌 100, 200
ou TXL ; ♿**

Cet édifice en brique du XIIIe siècle
abrite de nombreux trésors. Dans
l'entrée, la *Danse macabre*, une
fresque (en mauvais état), fut
réalisée après l'épidémie de peste
de 1486. À l'extérieur, la **fontaine de
Neptune** (1891), de Reinhold Begas,
est entourée de quatre beautés
plantureuses représentant les
principaux fleuves allemands.

NIKOLAIVIERTEL

🚇 Klosterstrasse

Délimité par la Rathausstrasse,
la Spandauer Strasse, le
Mühlendamm et la Spree, ce
quartier est une reconstitution de
l'ancien cœur médiéval de Berlin
autour du plus vieil édifice de la
ville, l'église Saint-Nicolas (1230).
Son dédale de ruelles pavées vaut
une petite promenade, mais vous
croiserez peu de Berlinois dans ses
cafés, restaurants et boutiques,
tous relativement chers.

HÔTEL DE VILLE

**Rotes Rathaus ; ☎ 902 60 ;
Rathausstrasse 15 ; ⏱ fermé au public ;
🚇 🚌 Alexanderplatz**

Occupant le centre géographique
de Berlin, cet édifice bâti en 1860

abrite les bureaux du maire et des sénateurs de la ville. Il doit son nom ("hôtel de ville rouge") à son imposante façade en briques.

🌊 SEA LIFE BERLIN

☎ 992 800 ; www.sealifeeurope.com ; Spandauer Strasse 3 ; tarif plein/réduit 17/12 € ; ⏱ 10h-19h, dernière entrée 18h ; 🚌 100, 200 ou TXL ; ♿

Onéreux mais amusant, cet aquarium vous invite à remonter la Spree jusqu'à l'Atlantique Nord et à découvrir diverses espèces d'animaux aquatiques. La visite s'achève par une lente remontée en ascenseur à l'intérieur de l'Aquadom, un aquarium cylindrique de 16 m de hauteur plein de poissons tropicaux, donnant sur le hall du Radisson SAS Hotel.

🌊 TOUR DE LA TÉLÉVISION

Fernsehturm ; ☎ 242 3333 ; www.berlinerfernsehturm.de ; Panoramastrasse 1a ; adulte/moins de 16 ans 10/5,50 €, VIP 19,50 € ; ⏱ 9h-24h mars-oct, 10h-24h nov-fév ; 🚇 🚉 Alexanderplatz ; ♿

Construit en 1969, l'édifice le plus haut d'Allemagne s'élève à 368 m au-dessus du sol de Berlin. Arrivez tôt pour être le premier sur la plate-forme panoramique, à 203 m de hauteur. Par beau temps, repérez les principaux sites de la ville depuis la plate-forme ou du

café à l'étage, qui effectue une rotation complète en 30 minutes. Le billet VIP fonctionne comme un coupe-file.

🛍 SHOPPING

🛍 ALEXA

Centre commercial

☎ 269 3400 ; www.alexacentre.de ; Grunerstrasse 20 ; ⏱ 10h-21h ; 🚇 🚉 Alexanderplatz

Les accros au shopping adorent cet immense complexe près de l'Alexanderplatz. Outre les grandes enseignes habituelles, il abrite une boutique du rappeur allemand Bushido, le Kindercity (aire de jeux interactive) et Loxx, la plus grande maquette de train au monde.

🛍 AUSBERLIN

Cadeaux et souvenirs

☎ 4199 7896 ; www.ausberlin.de ; Karl-Liebknecht-Strasse 17 ; ⏱ 10h-20h lun-sam, 12h-20h dim ; 🚇 🚉 Alexanderplatz

Succès assuré pour cette boutique sans prétention dont l'objectif est de dénicher, promouvoir et vendre des articles *made in Berlin*.

🛍 GALERIA KAUFHOF

Grand magasin

☎ 247 430 ; www.galeria-kaufhof.de ; Alexanderplatz 9 ; ⏱ 9h30-20h lun-mer, 9h30-22h jeu-sam ; 🚇 🚉 Alexanderplatz

L'ancien Centrum Warenhaus, grand magasin de la RDA, s'est mué en un édifice futuriste doté d'un dôme de verre et d'un habillage en travertin illuminé la nuit, mais a gardé sa vocation de centre commercial.

🍴 SE RESTAURER

🍴 ATAME *Espagnol* €€

☎ 2804 2560 ; www.atame-tapasbar.de ; Dircksenstrasse 40 ; ⏱ à partir de 10h lun-ven, à partir de 11h sam-dim ; Ⓜ Alexanderplatz ; 🚉 Hackescher Markt ; ✗

La tradition des tapas s'accorde bien avec le mode de vie berlinois, pourtant, les bars à tapas sont rares. Celui-ci, avec son bar orné de mosaïques, son personnel espagnol souriant et ses tapas copieuses et succulentes, respire l'authenticité.

🍴 DOLORES *Mexicain* €

☎ 2809 9597 ; www.dolores-berlin.de ; Rosa-Luxemburg-Strasse 7 ; ⏱ 11h30-22h lun-ven, 13h-22h sam-dim ; Ⓜ 🚉 Alexanderplatz ; ✗ Ⓥ

Une adresse très fréquentée le midi pour ses excellents *burritos*.

Indiquez vos ingrédients préférés (viande marinée, tofu, riz, haricots, légumes, fromage, sauce) au personnel enthousiaste, qui fera le reste. Délicieuse limonade maison.

🍴 ZUR LETZTEN INSTANZ *Allemand* €€

☎ 242 5528 ; www.zurletzteninstanz.de ; Waisenstrasse 14-16 ; ⏱ 12h-1h lun-sam, 12h-23h dim ; Ⓜ Klosterstrasse ; ✗

Appréciée pour son atmosphère très Vieux Berlin, cette adresse rustique ouverte depuis 1621 a régalé les grands de ce monde, de Napoléon à Angela Merkel, en passant par Beethoven. Les spécialités y sont toujours aussi réussies, notamment les *Eisbeine* (jarrets de porc) et les *Bouletten* (boulettes de viande).

⭐ SORTIR

⭐ BOHANNON *Club*

☎ 6950 5287 ; www.bohannon.de ; Dircksenstrasse 40 ; entrée 7-10 € ; ⏱ à partir de 23h lun, ven et sam ; 🚉 Hackescher Markt

---

UNE SAUCISSE EN PASSANT ?

Postés à la sortie nord de la station du U2 et à la sortie est du S-Bahn, sur l'Alexanderplatz, des vendeurs de saucisses rôties ambulants sollicitent les passants. Une table à gaz sanglée sur le ventre, ils s'efforcent de gagner un maigre salaire en faisant griller à la demande des *Bratwürste* pincées dans un petit pain, avec moutarde ou ketchup, vendues 1,20 €.

Ce club en sous-sol doit son nom à la légende du disco des Seventies, Hamilton Bohannon. Des maîtres du groove, comme Barney Millah et B.Side, et des DJ de passage y mixent funk, hip-hop, reggae et dancehall.

⭐ CASINO BERLIN *Casino*
☎ 2389 4144 ; www.casino-berlin.de ; Park Inn Hotel, Alexanderplatz 8 ; entrée 5 € ; ⏱ 15h-3h ; Ⓜ Ⓡ Alexanderplatz
L'antre du vice le plus haut de Berlin se trouve au 37e étage du Park Inn Hotel. Jeux de cartes et de hasard habituels (possibilité de location) ; réservé aux plus de 18 ans.

⭐ KINO INTERNATIONAL
Cinéma et club gay
☎ 2475 6011 ; www.yorck.de ; Karl-Marx-Allee 33 ; tickets 5,50-8 € ; Ⓜ Schillingstrasse
Avec ses lustres en cristal, ses rideaux à paillettes et ses plafonds à moulures, ce cinéma de l'ère socialiste est un spectacle en soi. Le lundi est "MonGay", avec des films à thème homosexuel, classiques et étrangers. Le premier samedi du mois y a lieu le Klub International, plus grande fête gay de la ville (à partir de minuit).

⭐ KITKATCLUB @ SAGE *Club*
☎ 278 9830 ; www.kitkatclub.de ; Köpenicker Strasse 76, accès Brückenstrasse 3 ; entrée 6-12 € ; ⏱ ven-dim ; Ⓜ Heinrich-Heine-Strasse

Le plus célèbre des clubs érotiques de Berlin emprunte au Sage ses 4 pistes de danse, ses piscines et son dragon cracheur de feu. Ici, on aime le cuir, le latex et la dentelle, et on manie le fouet sur fond de house et de techno. Le site Internet vous aiguillera sur le code vestimentaire.

⭐ TRESOR *Club*
☎ 6953 7713 ; www.tresorberlin.de ; Köpenicker Strasse 70 ; entrée 10 € ; ⏱ à partir de 24h mer, ven et sam ; Ⓜ Heinrich-Heine-Strasse
Après quelques années de flottement, ce pionnier de la techno revient à la charge dans une ancienne centrale électrique de Berlin-Est. Des DJ pointus font vibrer ses 3 étages – la Salle des accumulateurs, le +4 Bar, avec balcon, et la cave humide au bout d'un couloir sombre. Une adresse-phare de la scène berlinoise.

⭐ WEEKEND *Club*
www.week-end-berlin.de ; Am Alexanderplatz 5 ; entrée 10-12 € ; ⏱ jeu-sam ; Ⓜ Ⓡ Alexanderplatz
Aménagé dans une ancienne tour de bureaux datant de la RDA offrant une vue superbe, ce club très chaud séduit par son design minimaliste et ses DJ renommés comme Tiefschwarz, Phonique et Dixon. On s'y déchaîne sur 3 niveaux : le 12e et sa baie vitrée panoramique, le 15e, couleur encre, et le lounge sur le toit-terrasse.

>MITTE – SCHEUNENVIERTEL

Difficile d'imaginer ce quartier tel qu'il était avant la réunification, abandonné et misérable, avec des rues crasseuses bordées d'immeubles délabrés. Situé au nord-ouest de l'Alexanderplatz, le Scheunenviertel s'est mué en un secteur ultrabranché, comptant d'innombrables restaurants, bars, clubs, cabarets et boutiques à la mode.

Son nom (le "quartier des Granges") date du XVIIe siècle : les maisons en bois étant alors souvent la proie des flammes, toutes les récoltes étaient stockées dans des granges en dehors des murs de la ville. Plus tard, le Scheunenviertel devint le principal quartier juif de Berlin, un rôle historique qu'il a peu à peu retrouvé après la chute du Mur.

L'attrayant labyrinthe de petites ruelles partant de l'Oranienburger Strasse (l'artère principale du quartier) dessine comme un village où il fait bon flâner. Des surprises vous attendent à chaque coin de rue : galerie branchée, estaminet sympathique, sculpture insolite ou salle

MITTE – SCHEUNENVIERTEL

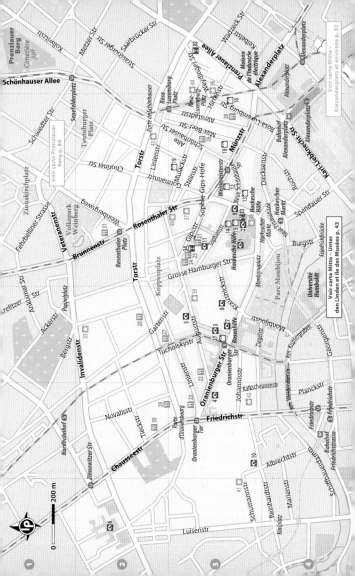

de bal du XIXᵉ siècle. L'un des atouts du Scheunenviertel sont ses *Höfe*, des cours intérieures reliées entre elles et abritant cafés, boutiques et lieux de détente. Les Hackeschen Höfe sont les plus célèbres mais les Heckmann-Höfe (Oranienburger Strasse 32) et les Sophie-Gips-Höfe (Sophienstrasse 21) ont également beaucoup de charme.

◉ VOIR

◉ ANCIEN CIMETIÈRE JUIF

Alter Jüdischer Friedhof ; Grosse Hamburger Strasse ; 🚇 🚉 **Hackescher Markt ;** ♿
Le premier cimetière juif de Berlin, détruit par les nazis en 1943, ressemble aujourd'hui à un petit parc. Quelque 12 000 personnes y furent enterrées entre 1672 et 1827, dont le philosophe Moses Mendelssohn. Sa tombe (reconstruite) garde vivante la mémoire de toutes les personnes inhumées ici.

◉ HACKESCHE HÖFE

☎ 2809 8010 ; www.hackesche-hoefe.com ; 🕐 24h/24 ; **accès via Rosenthaler Strasse ou Sophienstrasse ;** 🚇 🚉 **Hackescher Markt ;** ♿
Cet entrelacs de 8 cours joliment restaurées est devenu, grâce à ses cafés, galeries, boutiques et lieux de divertissement, l'une des principales attractions de la ville. La Hof 1, aux façades ornées de briques vernissées Art nouveau, est la plus animée. La Hof 7 permet d'accéder à la **Rosenhöfe**, un jardin de roses entouré de balustrades à motifs végétaux.

◉ CENTRE CULTUREL TACHELES

Kunsthaus Tacheles ; ☎ **282 6185 ; www.tacheles.de ; Oranienburger Strasse 54-56 ;** 🚇 **Oranienburger Tor**
Bien que peu engageant au premier abord, cet espace culturel alternatif, véritable "chapelle Sixtine du graffiti" est un lieu très apprécié. Né durant les années bouillonnantes qui ont suivi la réunification, il est formé d'un dédale de galeries et d'ateliers d'artiste, et compte aussi un cinéma, un café et un *Biergarten* (ouvert l'été), où l'on peut prendre un verre au milieu d'installations bizarroïdes. Le lieu est toutefois menacé de fermeture par la pression immobilière ambiante.

◉ KUNST-WERKE BERLIN

☎ **243 4590 ; www.kw-berlin.de ; Auguststrasse 69 ; tarif plein/réduit 6/4 € ;** 🕐 **12h-19h mar, mer et ven-dim, 12h-21h jeu ;** 🚇 **Oranienburger Strasse ;** ♿
Installée dans une ancienne fabrique de margarine, cette association à but non lucratif jouit d'une réputation internationale en tant que laboratoire d'art contemporain et contribue depuis

la chute du Mur au rayonnement du Scheunenviertel sur la scène artistique berlinoise.

MUSÉUM D'HISTOIRE NATURELLE

Museum für Naturkunde ; ☎ 2093 8591 ; www.naturkundemuseum-berlin.de ; Invalidenstrasse 43 ; tarif plein/réduit/ famille 5/3/10 € ; 9h30-17h mar-ven, 10h-18h sam-dim ; Zinnowitzer Strasse ;

Ce beau musée affilié à l'université invite à remonter à la nuit des temps. Il abrite le plus grand squelette de dinosaure au monde,

celui d'un brachiosaure de 23 m de long et 12 m de haut, ainsi que ceux d'une douzaine de ses compagnons du jurassique et d'un archéoptéryx rarissime. Des expositions sont par ailleurs consacrées au Big Bang et à d'autres mystères passionnants.

NOUVELLE SYNAGOGUE ET CENTRE JUDAÏQUE

Neue Synagoge ; ☎ 8802 8300 ; www.cjudaicum.de ; Oranienburger Strasse 28-30 ; tarif plein/réduit 3/2 € ; 10h-20h dim-lun, 10h-18h mar-jeu, 10h-17h ven (14h mars et oct) avr-sept,

Les impressionnants squelettes de dinosaures du Muséum d'histoire naturelle laissent songeur...

DES PAVÉS DANS LA MARE DE L'HISTOIRE

Si vous baissez les yeux, vous les verrez partout, en particulier dans le Scheunenviertel : de petits pavés de cuivre sur lesquels sont gravés des noms, placés devant l'entrée de certaines maisons. Les *Stolpersteine* ("pierres d'achoppement") font partie d'un projet national initié par l'artiste berlinois Gunter Demnig. Il s'agit de petits mémoriaux en hommage aux personnes (essentiellement juives) qui vécurent dans ces maisons avant d'être tuées par les nazis. La communauté juive de Berlin a enduré les pires souffrances sous le IIIe Reich. En 1933, 160 000 Juifs vivaient à Berlin ; en 1945, 55 000 avaient été exterminés, 100 000 avaient émigré et seulement 5 000 avaient survécu. Aujourd'hui, la communauté juive compte 13 000 membres ; la plupart sont arrivés récemment des anciennes républiques soviétiques et de Russie (voir aussi p. 158).

10h-18h dim-jeu, 10h-14h ven nov-fév ;
🚇 Oranienburger Strasse ; ♿
Le dôme doré de la Nouvelle Synagogue symbolise la renaissance de la communauté juive berlinoise. La synagogue d'origine (1866), avec 3 200 places assises, était la plus grande d'Allemagne. En partie reconstruit, l'édifice fait aujourd'hui office de musée et de centre culturel. Les expositions présentent l'histoire et l'architecture du monument et des biographies d'anciens fidèles. Il est possible de monter dans le dôme.

🎦 MUSÉE RAMONES

☎ 7552 8890 ; www.ramonesmuseum.com ; Krausnickstrasse 23 ; entrée avec pin's et badge 3,50 € ; 🕐 8h30-18h mar-jeu, 8h30-20h ven, 10h-20h sam, 12h-18h dim ; 🚇 Oranienburger Strasse
L'une de leurs chansons s'intitule *Born to die in Berlin*. Les Ramones, groupe de punk américain des années 1970 et 1980, sont pourtant bien vivants dans la capitale allemande, grâce à l'un de leurs grands fans, Florian Hayler. Des T-shirts, des disques dédicacés, les baguettes de Marky Ramone, le jean de Johnny Ramone et tout un bric-à-brac sont entassés dans ce "sanctuaire". Café sur place (Wi-fi gratuit).

🎦 COLLECTION BOROS

Sammlung Boros ; ☎ 2759 4065 ; www.sammlung-boros.de ; Reinhardtstrasse 20 ; visite 10 € ; 🕐 visite sam et dim, réservation en ligne ; 🚇 Oranienburger Tor ; 🕐 🚇 Friedrichstrasse
Réservez tôt pour visiter cet ancien bunker nazi où le gourou de la publicité Christian Boros présente sa riche collection d'art contemporain. Ce labyrinthe bétonné offre un cadre idéal aux œuvres d'artistes renommés comme O. Eliasson, D. Hirst, S. Lucas et W. Tillmans.

🛍 SHOPPING

Voir aussi p. 14.

🛍 1. ABSINTH DEPOT BERLIN
Alimentation et boissons

☎ 281 6789 ; www.
erstesabsinthdepotberlin.de ;
Weinmeisterstrasse 4 ; ⌚ 14h-24h
lun-sam ; ⓤ Weinmeisterstrasse
La "fée verte" fut à la Belle
Époque la muse de Van Gogh,
Toulouse-Lautrec et Oscar
Wilde. Le patron de cette petite
boutique originale vous aidera
à faire votre choix parmi les 60
variétés d'absinthe sélectionnées
par ses soins.

🛍 14OZ *Mode*

☎ 2804 0514 ; www.14oz-berlin.de ;
Neue Schönhauser Strasse 13 ; ⌚ 10h-
18h lun-sam ; ⓤ Weinmeisterstrasse
Si vous aimez les jean Citizens of
Humanity, les tenues originales
style Velvet et les colliers King
Baby, vous raffolerez de ce *concept
store* fondé par les organisateurs
du Bread & Butter, un salon de la
mode urbaine. L'endroit est ultra-
chic mais un peu snob.

🛍 AMPELMANN GALERIE
Souvenirs

☎ 4472 6438 ; www.ampelmann.de ;
Hackesche Höfe, Hof 5 ; ⌚ 9h30-22h
lun-sam, 10h-19h dim; 🚊
🚊 Hackescher Markt

Voué à disparaître, Ampelmann,
petit bonhomme lumineux
des passages piétons de l'ex-
RDA, a été sauvé grâce aux
protestations des Berlinois.
D'innombrables articles à
l'effigie de ce personnage
culte sont vendus ici : T-shirts,
serviettes, porte-clés, etc.

🛍 BERLINERKLAMOTTEN
Mode

www.berlinerklamotten.de ; Hof 3,
Hackesche Höfe ; ⌚ 11h-20h lun-sam ;
🚊 🚊 Hackescher Markt
Envie de suivre les dernières
tendances des créateurs
indépendants de Berlin ? Cette
enseigne propose des tenues
– décontractées ou haute
couture – ayant ce côté urbain,
frais et effronté typique de la ville.
DJ le week-end.

🛍 BLUSH DESSOUS
Lingerie

☎ 2809 3580 ; www.blush-berlin.de ;
Rosa-Luxemburg-Strasse 22 ;
⌚ 12h-20h lun-ven, 12h-19h sam ;
ⓤ Rosa-Luxemburg-Platz
On trouve dans cette petite
bonbonnière à l'ambiance sexy-
chic – soie, satin, mais aussi un
immense lit des années 1960 et
des vibromasseurs côté déco – de
très belles collections de lingerie,
dont des ensembles Princesse
Tam-Tam et Cosabella.

🏠 BONBONMACHEREI
Alimentation

☎ 4405 5243 ; www.bonbonmacherei.de ;
Oranienburger Strasse 32, Heckmann-
Höfe ; 🕐 12h-20h mer-sam ;
🚇 Oranienburger Strasse
Ce magasin en sous-sol a remis
au goût du jour la fabrication
artisanale de bonbons. Observez
les confiseurs Katja et Hjalmar en
train de fabriquer de savoureuses
sucreries avec leur matériel ancien.

🏠 IC! BERLIN
Lunettes

☎ 2472 7200 ; www.ic-berlin.de ;
Max-Beer-Strasse 17 ; 🕐 11h-20h
lun-sam ; 🚇 Rosa-Luxemburg-Platz
Sofas fatigués et tableaux farfelus
donnent un air de garçonnière
à cette enseigne phare d'un
lunetier mondialement renommé.
Montures ultralégères, charnières
sans vis..., les stars adorent.

🏠 LALA BERLIN
Mode

☎ 6579 5466 ; www.lalaberlin.de ;
Mulackstrasse 7 ; 🕐 12h-20h lun-sam ;
🚇 Rosa-Luxemburg-Platz
Ancienne réalisatrice pour MTV,
Leyla Piedayesh est l'une des
meilleures créatrices de mode
berlinoises. Admirez les élégantes
tenues en laine aux couleurs
douces et les foulards en soie à
imprimés. Vêtements pour tous les
goûts et toutes les silhouettes.

🍴 SE RESTAURER
🍽 BANDOL SUR MER
Français   €€€

☎ 6730 2051 ; Torstrasse 167 ; 🕐
à partir de 18h ; 🚇 Rosenthaler Platz
Brad Pitt a dîné ici, mais nul
besoin de l'aval d'Hollywood
pour applaudir ce petit bistrot
occupant une ancienne *döneria*.
Le menu, sur une ardoise, allie
classiques telle l'entrecôte et
créations comme l'agneau rosé
à la rhubarbe. Réservez pour l'un
des deux services (18h ou 21h).

Le cadre design du Susuru (p. 70)

🍴 BARCOMI'S DELI
Américain €

☎ 2859 8363 ; www.barcomis.de ; Hof 2, Sophie-Gips-Höfe, Sophienstrasse 21 ; 🕙 9h-21h lun-sam, 10h-21h dim ; 🚇 Weinmeisterstrasse ; 🚫 Ⓥ

Une bonne odeur de café parfume cet établissement apprécié par les familles et les expatriés américains pour son café latte, ses *bagels*, ses sandwichs et ses excellents brownies et cheesecakes.

🍴 CAFÉ NORD-SUD *Français €*

☎ 9700 5928 ; Auguststrasse 87 ; 🕙 12h-15h et 17h-23h lun-sam ; 🚇 Oranienburger Strasse ; 🚫

C'est le genre d'adresse que l'on aime bien garder pour soi. Le charisme de Jean-Claude, le talent des cuisiniers et les petits prix en font un endroit unique, toujours plein à craquer. Menu (3 plats) à 7,50 € seulement !

🍴 DADA FALAFEL
Moyen-Orient €

☎ 2759 6927 ; Linienstrasse 132 ; 🕙 10h-2h ; 🚇 Oranienburger Tor ; 🚫

Joignez-vous aux habitués et aux touristes affamés venus savourer les falafels relevés d'une sauce maison de cette petite échoppe au décor rigolo.

🍴 KASBAH *Marocain €€*

☎ 2759 4361 ; www.kasbah-berlin.de ; Gipsstrasse 2 ; 🕙 18h-24h mar-dim ; 🚇 Weinmeisterstrasse ou Rosenthaler Platz ; 🚫

Le cadre est dépaysant, l'accueil de Driss, le propriétaire, chaleureux. Le repas s'apparente à un rituel sensoriel : on trempe les doigts dans de l'eau de rose avant de s'attaquer au tajine et à la *b'stilla* (brique). Les plats s'accordent merveilleusement avec un bon vin marocain ou un thé à la menthe rafraîchissant.

🍴 KUCHI *Asiatique €€*

☎ 2838 6622 ; www.kuchi.de ; Gipsstrasse 3 ; 🕙 12h-24h ; 🚇 Weinmeisterstrasse ; 🚫

Une clientèle branchée se régale des créations "extrêmes" du Kuchi – makis agrémentés d'anguille grillée, de tempura ou de peau de poulet craquante ! Plutôt que de faire la fine bouche, les puristes se rabattront sur les plus classiques yakitoris, légumes sautés, *donburi* (bol de riz) et soupes de nouilles.

🍴 MONSIEUR VUONG
Asiatique €

☎ 9929 6924 ; www.monsieurvuong.de ; Alte Schönhauser Strasse 46 ; 🕙 12h-24h ; 🚇 Weinmeisterstrasse ; 🚫

Ce restaurant vietnamien à la mode a su maintenir la qualité de sa formule malgré son succès auprès des touristes. Le menu laisse le choix entre plusieurs soupes et 3 ou 4 plats très sains à petits prix. L'afflux constant de clients nuisant à la tranquillité du repas, tâchez de venir l'après-midi.

🍴 SCHWARZWALDSTUBEN
Allemand €€
☎ 2809 8084 ; Tucholskystrasse 48 ; ⏰ 9h-24h ; 🚇 Oranienburger Strasse ; ✂
Le décor désuet de cet établissement est aussi savoureux que son authentique et généreuse cuisine du Sud de l'Allemagne. Laissez-vous tenter par les *Geschmelzte Maultaschen* (raviolis sautés) et les énormes *Schnitzel* (escalopes), à accompagner d'une bière Rothaus Tannenzäpfle, brassée en Forêt-Noire.

🍴 SUSURU
Asiatique €€
☎ 211 1182 ; www.susuru.de ; Rosa-Luxemburg-Strasse 17 ; ⏰ 11h30-23h30 ; 🚇 Rosa-Luxemburg-Platz ; ✂ 🛜 Ⓥ
N'hésitez pas à faire du bruit en avalant votre plat, comme le suggère le nom (une onomatopée japonaise) de ce bar à nouilles design et minimaliste. C'est bien la meilleure façon de déguster les grands bols d'*udon* ou de *nabe* fumants. Délicieux !

🍴 TARTANE
Américain €€
☎ 4472 7036 ; Torstrasse 225 ; ⏰ 18h-2h ; 🚇 Oranienburger Tor

Hormis la rampe de l'escalier, les lampes et la fresque murale en porcelaine de Saxe, qui proviennent de l'ancien palais de la République, ce pub raffiné est bien de son temps. Une clientèle bohème y savoure des burgers maison tout en sirotant de la Kölsch, une bière de Cologne.

🍴 WEINBAR RUTZ
International €€€
☎ 2462 8760 ; www.rutz-weinbar.de ; Chausseestrasse 8 ; ⏰ 17h-24h lun-sam ; 🚇 Oranienburger Tor ; ✂
Les créations culinaires de Marco Müller atteignent le juste équilibre entre audace et classicisme, ce qui lui a valu une étoile au Michelin en 2008. La cave est remplie de 1 001 bouteilles des crus les plus fameux. Beaucoup peuvent être dégustés au verre, notamment au bar à vins du sous-sol, où sont également servis quelques plats plus simples (9-17 €).

🍴 ZAGREUS PROJEKT
International €€€
☎ 2809 5640 ; www.zagreus.net ; Brunnenstrasse 9a ; ⏰ téléphoner pour les horaires, réservation impérative ; 🚇 Rosenthaler Platz ; ✂
À la fois chef, artiste et galeriste, Ulrich Krauss associe art et bonne chère selon un concept inédit, dans l'atelier installé au sous-sol

de sa cour. Tous les deux mois environ, il invite un artiste à concevoir une installation adaptée au site puis compose un dîner en s'inspirant de l'œuvre. Les convives "louent une chaise" autour de la longue table commune au centre de la pièce (3/4 plats 30-35 €). Unique et typiquement berlinois.

� PRENDRE UN VERRE

Les prostituées perchées sur des talons surélevés et sanglées dans leurs corsets font partie du décor nocturne de l'Oranienburger Strasse, que bordent de nombreux bars à touristes. Vous trouverez les meilleures adresses dans les rues transversales.

� BAR 3 *Bar*
☎ 2804 6973 ; Weydinger Strasse 20 ; ⌚ à partir de 21h mar-sam ; ⊕ Rosa-Luxemburg-Strasse ; ✂
Avec ses baies vitrées, sa déco noire stylée et son éclairage tamisé, ce petit bar pourrait faire la couverture d'un magazine de design. Artistes et jolies filles apprécient son ambiance décontractée. Suivez l'action depuis le bar en forme de U, en buvant une Kölsch, délicieuse bière de Cologne, ville natale du propriétaire.

� CAFÉ BRAVO
Café
☎ 2345 7777 ; www.cafebravo.de ; Auguststrasse 69 ; ⌚ 9h-19h ou 20h ; ☒ Oranienburger Strasse ; ✂
Plus qu'un simple café, ce cube de verre et chrome qui se dresse dans la cour du Kunst-Werke est une véritable œuvre d'art, imaginée par l'artiste américain Dan Graham. Un endroit idéal pour recharger ses batteries lors d'une promenade dans le quartier (même si l'on doit passer soi-même sa commande au comptoir).

� ESCHSCHLORAQUE
Bar
☎ 0172 311 1013 ; www. eschschloraque.de ; Rosenthaler Strasse 39 ; ⌚ à partir de 14h ; ☒ ☒ Hackescher Markt ; ✂
Ce bar mi-chic mi-trash est l'un des rares à avoir résisté à l'embourgeoisement rampant de Mitte. Vous le trouverez après les poubelles, au fond de la cour de la Haus Schwarzenberg, l'une des rares maisons non rénovées du secteur. On aime l'immense décor surréaliste du collectif artistique Dead Chickens, les canapés douillets, les cocktails puissants et la musique live fantasque. Si seulement le personnel ne prenait pas de si grands airs...

▼ GREENWICH *Bar*
☎ 2809 5566 ; Gipsstrasse 5 ; ⌚ à partir de 20h ; Ⓤ Weinmeisterstrasse ; ✗
Ce bar branché est tellement dans le vent qu'il se passe d'enseigne. Ouvert par Heinz Gindullis, le patron du Cookies (p. 55), qui a le don de tout changer en or, il s'est rapidement imposé sur la scène des bars à cocktails. Vous aurez tout le temps d'étudier le bar et les canapés vert acidulé, les aquariums illuminés et la clientèle sexy avant que n'arrive votre cocktail sophistiqué.

★ SORTIR
Pour plus d'informations sur les cabarets, reportez-vous p. 23.

★ ACKERKELLER
Pub gay et club
☎ 3646 1356 ; www.ackerkeller.de ; Bergstrasse 68 ; entrée 3-5 € ; ⌚ pub à partir de 20h mar-ven, à partir de 18h dim, soirées 22h mar, ven et sam ; Ⓤ Rosenthaler Platz
Géré par une association à but non lucratif, ce pub alternatif gay et lesbien organise trois soirées par semaine. Rock, pop, électro et musique des Balkans font vibrer la piste de danse. Des soirées thématiques – Schlagernacktparty (soirée nue), Clean Party (ni alcool ni drogue) et Morisseylicious (rock cafardeux) ont régulièrement lieu.

BERLIN >72

La soirée la plus sympa est celle du mardi.

★ BABYLON MITTE *Cinéma*
☎ 242 5969 ; www.babylonberlin. de ; Rosa-Luxemburg-Strasse 30 ; place 6,50 € ; Ⓤ Rosa-Luxemburg-Platz
Ce cinéma datant du muet, superbement restauré, programme de remarquables rétrospectives, des hommages, des grands classiques, des films étrangers et d'art et d'essai. Lors des projections de films muets, l'orgue d'origine du théâtre est mis à contribution.

★ B-FLAT *Musique live*
☎ 283 3123 ; www.b-flat-berlin.de ; Rosenthaler Strasse 13 ; entrée 10 € ; ⌚ à partir de 20h ; Ⓤ Weinmeisterstrasse ; ✗
Cette salle intimiste met l'accent sur les concerts acoustiques. Jazz, mais aussi world et afro-brésilien attirent un public varié, décontracté, qui apprécie de pouvoir s'asseoir à deux pas de la scène. Les jam-sessions du mercredi (gratuites) font souvent un tabac.

★ CHAMÄLEON VARIETÉ
Cabaret
☎ 400 5930 ; www.chamaeleonberlin.de ; Hackesche Höfe, Rosenthaler Strasse 40/41 ; billets 31-42 € ; Ⓡ Ⓡ Hackescher Markt ; ✗

Henrik Tidefjärd
*Fondateur de Berlinagenten (p. 188) – circuits de découverte du mode
de vie et de la gastronomie berlinoises*

**Vous êtes né en Suède et vous avez vécu à Londres et à Barcelone.
Qu'est-ce qui vous a amené à Berlin ?** Son côté décalé, la variété
des modes de vie dans chaque quartier et la possibilité de vivre des
choses incroyables. Berlin n'a rien d'une ville snob, conventionnelle ou
conservatrice, c'est un animal créatif, glamour et ouvert d'esprit. Les
habitants ont un style bien à eux. **Qu'est-ce que Mitte a de si fascinant ?**
Son mélange d'architecture, de mode, d'art, d'histoire et de gens de toutes
sortes. C'est très stimulant et plaisant à voir. **Vos coins secrets préférés
à Mitte ?** Le Café Bravo (p. 71), dans la cour du Kunst-Werke. **Des boutiques
cool ?** Le IC! Berlin (p. 68) ressemble vraiment à la ville : anticonformiste,
déroutant et très drôle. **Ce qu'il faut éviter ?** Les bars à touristes de
l'Oranienburger Strasse et les tournées des pubs. **Votre restaurant
préféré ?** Le Susuru (p. 70). **Vous vivez à Berlin depuis 8 ans. En quoi
Mitte a changé ?** Des boutiques, des galeries et des restaurants ne cessent
d'apparaître un peu partout, surtout autour de Hackescher Markt. Il n'existait
peut-être que 10% de ces adresses lorsque je suis arrivé.

Cette ancienne salle de bal a conservé son style Art nouveau tout en s'équipant d'accessoires de théâtre high-tech. On y programme essentiellement des spectacles de variétés (comédies, jonglage, chansons...) inventifs et audacieux.

⚑ CLÄRCHENS BALLHAUS
Club-restaurant
☎ 282 9295 ; www.ballhaus-mitte.de ; **Auguststrasse 24 ; entrée 3 € ;**
🕒 **à partir de 22h lun, 21h mar-jeu, 20h ven-sam, 15h dim ;**
🚇 **Oranienburger Strasse ;** ✕
Atmosphère surannée pour cette superbe salle de bal de la fin du XIXe siècle, où jeunes branchés et grands-mères viennent danser (avec le plus grand sérieux) le tango, le swing, la valse, ou sur du disco et de la pop. En journée, on peut manger une pizza ou des spécialités allemandes dans le jardin (à partir de 12h30).

⚑ DELICIOUS DOUGHNUTS
Club
☎ 2809 9279 ; www.delicious. doughnuts.de ; Rosenthaler Strasse 9 ; entrée 3-5 € ; 🕒 à partir de 21h ;
🚇 Weinmeisterstrasse
Ce club chaleureux, avec son ambiance lounge et sa petite piste de danse animée, est une adresse incontournable de Mitte. Les afters y durent jusqu'en fin de matinée.

⚑ DEUTSCHES THEATER
Théâtre
☎ 2844 1225 ; www.deutschestheater.de ; **Schumannstrasse 13a ; places 5-45 € ;**
🕒 🚇 **Friedrichstrasse**
Ce théâtre prestigieux s'est vu décerner de nombreuses récompenses, dont celle de "Théâtre de l'année" en 2008. Le petit Kammerspiele voisin organise aussi des représentations. Le **Box + Bar**, salle de 80 places avec bar à cocktails, offre une programmation plus nerveuse et expérimentale (places 6-16 €).

⚑ FRIEDRICHSTADTPALAST
Théâtre
☎ 2326 2326 ; www.friedrichstadtpalast.de ; **Friedrichstrasse 107 ; places 17-100 € ;**
🕒 🚇 **Friedrichstrasse**
Marlene Dietrich et Ella Fitzgerald sont montées sur les planches de cet ancien palace des années 1920, devenu le plus grand théâtre de revues d'Europe (2 000 places). On peut y assister à des spectacles très Las Vegas, avec danseuses aux jambes interminables vêtues de tenues minimalistes. La salle étant loin d'être pleine chaque soir, son avenir est hélas incertain.

⚑ KAFFEE BURGER *Club*
☎ 2804 6495 ; www.kaffeeburger.de ; **Torstrasse 60 ; entrée 3-5 € ;** 🕒 **à partir**

Le Kaffee Burger programme country, punk et musique des Balkans

de 20h lun-jeu, 21h ven-sam, 19h dim ;
Ⓜ Rosa-Luxemburg-Platz
Durant la Berlinale 2008, Madonna
est venue se joindre aux clubbeurs
jeunes et branchés de ce lieu culte,
dont le cadre date du temps de la
RDA. Inutile toutefois d'attendre
la venue de la prochaine célébrité
pour apprécier l'éclectisme de
ce club (soirées indé, punk, rock
et Balkans), qui accueille aussi la
soirée bimensuelle Russendisko de
Wladimir Kaminer, des concerts et
des lectures. Boissons à petits prix.

⭐ VOLKSBÜHNE AM
ROSA-LUXEMBURG-PLATZ
Théâtre
☎ 2406 5777 ; www.volksbuehne-
berlin.de ; Rosa-Luxemburg-Platz ; places
10-30 € ; Ⓜ Rosa-Luxemburg-Platz
Ses directeurs très controversés,
Frank Castorf et Christoph
Schlingensief, ont voulu la
Volksbühne (Scène du peuple)
non conformiste, radicale et
provocante. D'où sa programmation
décalée, à la fois populiste et élitiste.

>REICHSTAG ET QUARTIER DU GOUVERNEMENT

Le quartier du Gouvernement est blotti dans le Spreebogen, un méandre de la Spree en forme de fer à cheval. Il s'est développé autour de l'historique Reichstag (Parlement), autrefois adossé au Mur côté Ouest et désormais intégré au Band des Bundes ("ruban fédéral"), un ensemble de constructions en verre et en béton joignant symboliquement les deux moitiés de la ville au-dessus de la Spree. Au nord de la rivière, la Hauptbahnhof (gare centrale), couverte de panneaux solaires, a été édifiée à un emplacement prévu pour accueillir aussi, d'ici quelques années, des hôtels et peut-être un hall d'exposition temporaire.

Nulle démolition n'a été nécessaire pour faire place au nouveau quartier du pouvoir : les nazis s'en étaient déjà chargés en rasant tout un quartier résidentiel huppé dans le but d'édifier un grand palais qui devait pouvoir accueillir 180 000 personnes. Heureusement, ce projet ne fut jamais mené à bien.

Beaucoup plus modestes, les édifices publics actuels se fondent dans le paysage urbain. De vastes pelouses servent de terrain de jeu aux enfants, qui viennent y faire voler leurs cerfs-volants et jouer au football. Une agréable promenade longe la rivière, passant devant des *Biergarten* et des bars de plage, et offrant quelques points de vue intéressants. Le soir, le quartier resplendit grâce aux savants éclairages illuminant ses principaux monuments de l'intérieur.

REICHSTAG ET QUARTIER DU GOUVERNEMENT

VOIR
Musée berlinois de l'Histoire de la médecine 1 C2
Chancellerie 2 B5
Halle au bord de l'eau 3 C1
Gare de Hambourg – Musée d'Art contemporain 4 C2
Reichstag 5 C5

SE RESTAURER
Sarah Wiener im Hamburger Bahnhof ....(voir 4)

SORTIR
2BE 6 B1
Maison des Cultures du monde 7 A5
Tape 8 B1

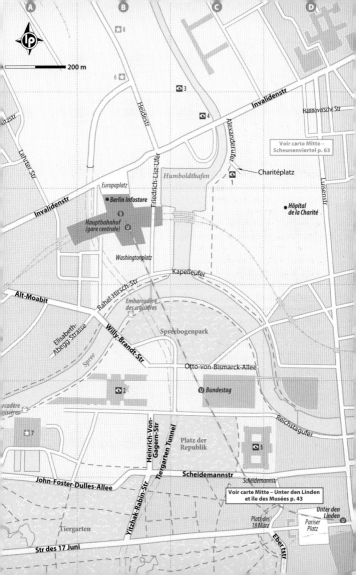

Voir carte Mitte – Scheunenviertel p. 63

Voir carte Mitte – Unter den Linden et île des Musées p. 43

Charitéplatz

Invalidenstr

Hannoversche Str

Luisenstr

Hôpital de la Charité

Humboldthafen

Europaplatz

Berlin Infostore

Heidestr

Friedrich-List-Ufer

Alexanderufer

Hauptbahnhof (gare centrale)

Invalidenstr

Lehrter Str

itzstr

Washingtonplatz

Kapelleufer

Alt-Moabit

Rahel-Hirsch-Str

Embarcadère des croisières

Spreebogenpark

Elisabeth-Abegg-Strasse

Willy-Brandt-Str

Spree

Otto-von-Bismarck-Allee

Bundestag

Reichstagufer

rcadère oisières

Heinrich-Von-Gagern-Str

Tiergarten Tunnel

Platz der Republik

John-Foster-Dulles-Allee

Yitzhak-Rabin-Str

Scheidemannstr

Scheidemannstr

Tiergarten

Str des 17 Juni

Platz des 18 März

Pariser Platz

Unter den Linden

Ebertstr

200 m

◉ VOIR

◉ MUSÉE BERLINOIS DE L'HISTOIRE DE LA MÉDECINE

**Berliner Medizinhistorisches Museum ;
☎ 450 536 156 ; www.bmm.charite.de ;
Charité Hospital Mitte, Charitéplatz 1 ;
tarif plein/réduit/famille 5/2,50/10 € ;
◷ 10h-17h dim, mar, jeu et ven, 10h-19h
mer et sam ; 🚇 Hauptbahnhof ; ♿**
La visite de ce macabre musée
des pathologies et des difformités
revient à se plonger dans un livre
de médecine en 3D. On peut
y observer, conservés dans le
formol, de monstrueuses tumeurs,
des siamois ou encore un colon de
la taille d'une trompe d'éléphant.
Âmes sensibles s'abstenir. Les
enfants de moins de 16 ans
doivent être accompagnés.

◉ CHANCELLERIE

**Bundeskanzleramt ; Willy-Brandt-
Strasse 1 ; fermé au public ;
🚇 Hauptbahnhof ; 🚌 100**
Cet édifice en forme de "H" est
l'œuvre d'Axel Schultes et de
Charlotte Frank. Pour voir les
ouvertures circulaires valant
à l'endroit son surnom de
"machine à laver", rendez-vous
sur le pont Moltkebrücke ou sur
la promenade de la rive nord.
Une sculpture en acier rouillé
d'Eduardo Chillida, *Berlin*, trône
sur le parvis.

◉ HALLE AU BORD DE L'EAU

**Halle am Wasser ; Invalidenstrasse 50/51 ;
🚇 Hauptbahnhof ; ♿**
Aménagée dans un entrepôt le
long d'un canal, derrière la Gare
de Hambourg, cette enfilade de
galeries d'art contemporain (dont
les réputées Arndt & Partner,
Frisch et Loock) est le dernier
en date des lieux branchés de
la scène artistique berlinoise.

◉ GARE DE HAMBOURG – MUSÉE D'ART CONTEMPORAIN

**Hamburger Bahnhof – Museum für
Gegenwart ; ☎ 3978 3439 ; www.
hamburgerbahnhof.de ; Invalidenstrasse
50-51 ; tarif plein/réduit 8/4 €, gratuit
moins de 16 ans et pour tous 14h-18h
jeu ; ◷ 10h-18h mar-ven, 11h-20h sam,
11h-18h dim ; 🚇 Hauptbahnhof ; ♿**
Occupant une gare du XIXe siècle
et un entrepôt adjacent de 300 m
de long, le principal musée d'art
contemporain de Berlin présente
des œuvres de Andy Warhol,
Roy Lichtenstein, Anselm Kiefer
et Joseph Beuys. Expositions
temporaires également. Bonne
librairie d'art et café réputé,
le Sarah Wiener (voir ci-contre),
sur place.

◉ REICHSTAG

**☎ 2273 2152 ; www.bundestag.de ;
Platz der Republik 1 ; entrée libre ;
◷ 8h-24h, dernier ascenseur 22h ;
🚌 100 ; ♿**

La vue est spectaculaire du sommet du Reichstag, siège du Bundestag. Prenez l'ascenseur, puis continuez le long de la passerelle qui s'enroule autour de la colonne centrale tapissée de miroirs. L'attente est moins longue le matin ou le soir. Pour y échapper, participez à une visite de groupe ou réservez une table au restaurant (onéreux) situé au sommet. Voir aussi p. 16.

🍴 SE RESTAURER

🍴 SARAH WIENER IM HAMBURGER BAHNHOF
Autrichien   €€

☎ 7071 3650 ; www.sarahwieners.de ; Invalidenstrasse 50/51 ; 🕐 10h-18h mar-ven, 11h-20h sam, 11h-18h dim ; 🚊 Hauptbahnhof ; 🍽

Ce café de musée, le plus chic de Berlin, est le domaine de la grande chef Sarah Wiener. Le long bar, les dalles à motifs et les banquettes de cuir ajoutent au caractère de l'ancienne salle d'attente de la gare. Parfait pour discuter de la dernière exposition autour d'un café ou d'une *Schnitzel* (escalope).

★ SORTIR

★ 2BE *Club*
www.2be-club.de ; Heidestrasse 73 ; entrée 8 € ; 🕐 ven et sam ; 🚊 Hauptbahnhof

Dans ce temple de la black music, DJ résidents (B.Side, Beathoavenz et Rybixx) et stars de passage (comme Grandmaster Flash) mixent avec brio du hip-hop, du R&B et du dancehall, devant des clubbeurs de la jeune génération.

★ MAISON DES CULTURES DU MONDE *Salle de spectacle*
Haus der Kulturen der Welt ; ☎ 397 870 ; www.hkw.de ; John-Foster-Dulles-Allee 10 ; tarifs variables ; 🕐 10h-21h mar-dim ; 🚌 100 ; 🛜 ♿

Cet extravagant édifice, dont le toit parabolique défie la pesanteur, est dévolu à la découverte des arts d'Amérique latine, d'Asie et d'Afrique : spectacles de danse, pièces de théâtre, lectures, projections de films, expositions… Son carillon de 68 cloches sonne tous les jours à 12h et 18h.

★ TAPE *Club*
www.tapeberlin.de ; Heidestrasse 14 ; entrée 10 € ; 🕐 à partir de 24h sam, parfois ven ; Ⓜ Hauptbahnhof

Ambiance underground pour ce club situé dans un quartier industriel, au nord de la Hauptbahnhof. D'excellents DJ, résidents et de passage, mixent house, deephouse, dubhouse et dubtechno. Ne manquez pas les soirées Tape Modern, lors desquelles le club se transforme en partie en galerie d'art.

>POTSDAMER PLATZ ET TIERGARTEN

Occupant un espace longtemps coupé en deux par le Mur, la Potsdamer Platz et ses environs forment le quartier le plus récent de Berlin, véritable vitrine du renouveau urbain orchestré dans les années 1990 par des "starchitectes" tels que Renzo Piano et Helmut Jahn.

La version moderne de ce qui fut dans les années1920 l'équivalent berlinois du Times Square new-yorkais – jusqu'à son agonie, pendant la Seconde Guerre mondiale – s'organise autour de trois pôles : DaimlerCity et sa vaste galerie commerciale, ses salles de spectacle et ses sculptures contemporaines ; le Sony Center, construit autour d'un atrium surmonté d'un chapiteau de verre illuminé la nuit ; et le Beisheim Center, plus discret, dont les lignes rappellent l'architecture classique des gratte-ciel.

À deux pas de là, ne manquez pas les musées et la célèbre salle de concert (la Philharmonie) du Kulturforum. Plus à l'ouest, le quartier des ambassades (Diplomatenviertel), sillonné par des limousines noires, se distingue par ses édifices contemporains. Pour achever la découverte du quartier et vous aérer l'esprit après un tel bain de culture, offrez-vous une balade dans le Tiergarten, le "poumon vert" de Berlin.

POTSDAMER PLATZ ET TIERGARTEN

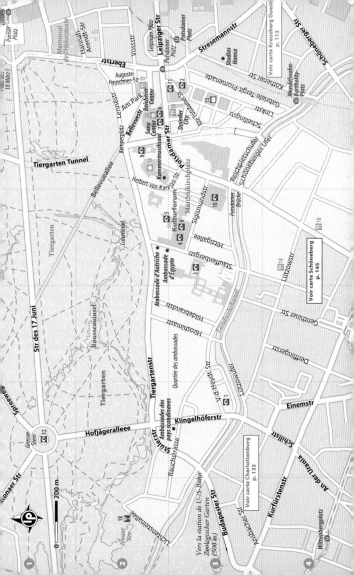

Map — Tiergarten / Potsdamer Platz (Berlin)

Voir carte Kreuzberg Ouest p. 113
Voir carte Schöneberg p. 145
Voir carte Charlottenburg p. 133

Pariser Platz
Memorial de l'Holocauste
Hannah-Arendt-Str
18 März
Ebertstr
Leipziger Platz
Vossstr
Leipziger Str
Potsdamer Platz
Potsdamer Platz
Stresemannstr
Schöneberger Str
Köthener Str
Studios Hansa
Gabriele-Tergit-Promenade
Mendelssohn-Bartholdy-Platz
Auguste-Hauschner-Str
Lennéstr
Bellevuestr
Kemperplatz
Am Park
Sony Center
Bellevuestr
Beisheim Center
Daimler City
Linkstr
Schellingstr
Reichpietschufer
Schöneberger Ufer
Tiergarten Tunnel
Bellevueallee
Kammermusiksaal
Herbert-von-Karajan-Str
Kulturforum
Matthäikirchplatz
Potsdamer Str
Sigismundstr
Potsdamer Brücke
Str des 17 Juni
Tiergarten
Luiseninsel
Tiergarten
Rousseauinsel
Hirzallee
Stauffenbergstr
Lützowufer
Ambassade d'Autriche
Ambassade d'Égypte
Hildebrandstr
Hiroshimastr
Quartier des ambassades
Ambassades des pays scandinaves
Tiergartenstr
Gentiner Str
Derfflingerstr
Grosser Stern
Hofjägerallee
Stülerstr
Rauchstrasse
Klingelhöferstr
Einemstr
Von-der-Heydt-Str
Lützowplatz
Lützowstr
Schillstr
An der Urania
Spreeweg
Vers la station de U-/S-Bahn Zoologischer Garten (500 m)
Lichtensteinallee
Budapester Str
Kurfürstenstr
Alspacher Str
Wittenbergplatz
onger Str

0 — 200 m

👁 VOIR

Prenez l'ascenseur le plus rapide d'Europe jusqu'au **Panoramapunkt** (☎ 2529 4372 ; www.panoramapunkt.de ; Potsdamer Platz 1 ; tarif plein/réduit 3,50/2,50 € ; 🕓 11h-20h) pour profiter d'une vue panoramique sur Berlin. Pour plus d'informations sur le Tiergarten, reportez-vous p. 19.

👁 ARCHIVES DU BAUHAUS/ MUSÉE DU DESIGN

Bauhaus Archiv/Museum für Gestaltung ; ☎ 254 0020 ; www.bauhaus.de ; Klingelhöferstrasse 14 ; tarif plein/ réduit, avec audioguide 5/3 € ; 🕓 10h-17h mer-lun ; 🚌 100 ; ♿
Ce bâtiment futuriste dessiné par Walter Gropius, le fondateur du Bauhaus (1919–1933), abrite une remarquable collection consacrée au design. Notes, éléments provenant d'ateliers, maquettes et autres projets permettent d'apprécier le travail de Klee, Kandinsky, Schlemmer et d'autres membres du mouvement, et l'influence considérable du Bauhaus sur tous les aspects de l'architecture et du design au XXᵉ siècle.

👁 DAIMLER CONTEMPORARY

☎ 2594 1420 ; www.sammlung.daimler. com ; Weinhaus Huth, Alte Potsdamer Strasse 5 ; entrée libre ; 🕓 11h-18h ; Ⓢ Ⓤ Potsdamer Platz ; ♿

Au dernier étage de la Weinhaus Huth, seul édifice ancien de la Potsdamer Platz, cette galerie tranquille présente une collection internationale d'art abstrait, conceptuel et minimaliste. Sonnez pour entrer.

👁 MÉMORIAL DE LA RÉSISTANCE ALLEMANDE

Gedenkstätte Deutscher Widerstand ; ☎ 2699 5000 ; www.gdw-berlin.de ; Stauffenbergstrasse 13-14 ; entrée libre ; 🕓 9h-18h lun-mer et ven, 9h-20h jeu, 10h-18h sam-dim ; 🚌 200 ; ♿
La résistance allemande au régime nazi est évoquée dans le lieu même où von Stauffenberg et trois autres officiers furent fusillés le soir de leur attentat manqué contre Hitler à Rastenburg (Prusse orientale), le 20 juillet 1944. Un monument leur est dédié dans la cour du bâtiment, à l'époque ministère de la Guerre du Reich. Le film *Walkyrie* (2009) retrace les faits de manière poignante.

👁 PINACOTHÈQUE

Gemäldegalerie ; ☎ 266 2951 ; www.smb.spk-berlin.de/gg ; Matthäikirchplatz 8 ; tarif plein/réduit, avec audioguide 8/4 € ; 🕓 10h-18h mar-mer et ven-dim, 10h-22h jeu ; Ⓢ Ⓤ Potsdamer Platz ; 🚌 200, M29 ; ♿
Une exceptionnelle collection d'art européen du XIIIᵉ au

XVIIIᵉ siècle répartie dans 72 salles. Les commentaires de l'excellent audioguide permettent d'en apprendre plus sur les œuvres de Rembrandt, Dürer, Hals, Vermeer, Gainsborough et bien d'autres. Voir également p. 18.

🅒 MUSÉE DES ARTS DÉCORATIFS

Kunstgewerbemuseum ; ☎ 266 2951 ; www.smb.spk-berlin.de/kgm ; Tiergartenstrasse 6 ; tarif plein/réduit 8/4 € ; ⏱ 10h-18h mar-ven, 11h-18h sam-dim ; 🇩 🇷 Potsdamer Platz ; 🇷 200, M29 ; ♿
Reliquaires du Moyen Âge incrustés de pierres précieuses, céramiques Art déco, meubles de Philippe Starck : cet immense musée déborde d'objets décoratifs raffinés de toute l'Europe. Ne manquez pas le trésor des guelfes et la collection d'argenterie de Lüneburg.

🅒 CABINET DES ESTAMPES

Kupferstichkabinett ; ☎ 266 2951 ; www.kupferstichkabinett.de ; Matthäikirchplatz 8 ; tarif plein/réduit 8/4 € ; ⏱ 10h-18h mar-ven, 11h-18h sam-dim ; 🇩 🇷 Potsdamer Platz ; 🇷 200, M29 ; ♿
Dessins, aquarelles, pastels et huiles de grands maîtres, dont Dürer, Rembrandt et Picasso. Certaines œuvres remontent au XIVᵉ siècle.

🅒 LEGOLAND DISCOVERY CENTRE

☎ 3010 4010 ; www.legolanddiscoverycentre.com ; Sony Center, Potsdamer Strasse 4 ; adulte/enfant 16/13 € ; ⏱ 10h-19h, dernière entrée 17h ; 🇩 🇷 Potsdamer Platz ; ♿
Les enfants adoreront le cinéma en 4D, l'"usine" de Lego, le sentier de la jungle aux crocodiles tapis dans l'obscurité et le Berlin miniature en petites briques de plastique colorées de cet agréable parc d'attractions couvert.

🅒 MUSÉE DU CINÉMA ET DE LA TÉLÉVISION

Museum für Film und Fernsehen ; ☎ 300 9030 ; www.filmmuseum-berlin.de ; Potsdamer Strasse 2 ; tarif plein/réduit/famille 6/4,50/12 € ; ⏱ 10h-18h mar-mer et ven-dim, 10h-20h jeu ; 🇩 🇷 Potsdamer Platz ; ♿
Ce musée high-tech retrace l'histoire de la télévision et du

BON PLAN

Un billet pour l'un des musées du Kulturforum (Nouvelle Galerie nationale, Pinacothèque, musée des Arts décoratifs, cabinet des Estampes et musée des Instruments de musique) permet de visiter le même jour la collection permanente des quatre autres. Par ailleurs, l'entrée est gratuite pour les moins de 16 ans, ainsi que pour tous le jeudi durant les quatre dernières heures d'ouverture.

cinéma allemands des films muets aux effets spéciaux. Les salles consacrées aux pionniers du 7e art (tels Fritz Lang), aux œuvres marquantes (comme *Les Dieux du stade* de Leni Riefenstahl) et aux légendes (Marlene Dietrich) sont très instructives. L'exposition sur la télévision est moins convaincante. Excellent audioguide.

MUSÉE DES INSTRUMENTS DE MUSIQUE

Musikinstrumenten Museum ; ☎ 2548 1178 ; www.mim-berlin.de ; Tiergartenstrasse 1 ; tarif plein/réduit 4/2 €, avec audioguide ; 🕙 9h-17h mar-mer et ven, 9h-22h jeu, 10h-17h sam-dim ; Ⓢ 🚈 Potsdamer Platz ; ♿

Ce musée très intéressant – même pour ceux dont les talents musicaux sont limités – rassemble des instruments rares et précieux, notamment l'harmonica de verre inventé par Benjamin Franklin, la flute de Frédéric le Grand, le clavecin de Jean-Sébastien Bach et un grand orgue Wurlitzer, doté d'un nombre impressionnant de touches et de pédales (démonstration le samedi à midi).

Musée du Cinéma et de la Télévision : l'Allemagne sur grand et petit écran (p. 83)

NOUVELLE GALERIE NATIONALE

Neue Nationalgalerie ; ☎ 266 2951 ; www.neue-nationalgalerie.de ; Potsdamer Strasse 50 ; tarif plein/réduit 8/4 € ; 10h-18h mar-mer et dim, 10h-22h jeu, 10h-20h ven-sam ; **Potsdamer Platz ; 200, M29 ;**

Ce spectaculaire temple de verre dessiné par Ludwig Mies van der Rohe abrite des œuvres de peintres et de sculpteurs européens du début du XXᵉ siècle (Picasso, Dalí) mais aussi un remarquable ensemble d'œuvres d'expressionnistes allemands tels Georg Grosz et Ernst Kirchner. La collection permanente cède parfois la place à de prestigieuses expositions temporaires.

COLONNE DE LA VICTOIRE

Siegessäule ; ☎ 391 2961 ; www.monument-tales.de ; Grosser Stern, Tiergarten ; tarif plein/réduit 2,20/1,50 € ; 9h30-18h30 lun-ven, 9h30-19h sam-dim avril-oct, 10h-17h lun-ven, 10h-17h30 sam-dim nov-mars ; **100**

Érigé pour célébrer les victoires militaires prussiennes, ce monument est devenu l'un des symboles de la communauté gay de Berlin. Surnommée "Gold Else", la statue dorée du sommet représente la déesse de la Victoire. La vue depuis la plateforme située sous ses jupes donne sur le Tiergarten.

SHOPPING

POTSDAMER PLATZ ARKADEN *Galerie commerciale*

☎ 255 9270 ; www.potsdamer-platz-arkaden.de ; Alte Potsdamer Strasse ; 10h-21h lun-sam ; **Potsdamer Platz**

Un agréable centre commercial, avec de nombreuses boutiques, deux supermarchés, des fast-foods et un irrésistible glacier, le Caffé & Gelato (à l'étage).

SE RESTAURER

EDD'S *Thaï* €€

☎ 215 5294 ; www.edds-thairestaurant.de ; Lützowstrasse 81 ; 11h30-15h et 18h-24h mar-ven, 17h-24h sam, 14h-24h dim ; **Kurfürstenstrasse, Mendelssohn-Bartholdy-Park ;** ✕

Cela fait plus de vingt ans que Edd, dont la grand-mère cuisinait pour les souverains thaïlandais, ravit les palais berlinois avec son canard rôti, son poulet cuit dans des feuilles de bananier et ses currys, véritables poèmes culinaires. Réservation indispensable.

FACIL *Français* €€€

☎ 590 051 234 ; www.facil-berlin.de ; 5ᵉ ét., Mandala Hotel, Potsdamer Strasse 3 ; 12h-15h et 19h-23h lun-ven ; **Potsdamer Platz ;** ✕

Michael Kemp, étoilé au Michelin, concocte des spécialités

innovantes, mais sans tralala inutile. À déguster installé sur une élégante chaise Donghia dans une salle entourée de baies vitrées ouvrant sur un jardin – le cadre est tout aussi avant-gardiste que la cuisine. Les gourmets au budget serré viendront le midi.

🍴 JOSEPH-ROTH-DIELE
Allemand   €

☎ 2636 9884 ; www.joseph-roth-diele.de ; Potsdamer Strasse 75 ; 🕙 10h-24h lun-ven ; 🚇 Kurfürstenstrasse ; ✗

Les conversations vont bon train dans la "cantine" des employés du *Tagesspiegel*, un agréable établissement des années 1920 portant le nom d'un écrivain juif autrichien qui vécut dans le quartier avant d'être contraint à l'exil par les nazis. Deux plats du jour sont proposés midi et soir, des sandwichs et des gâteaux le reste de la journée.

🍴 VAPIANO *Italien*   €

☎ 2300 5005 ; www.vapiano.de ; Potsdamer Platz 5 ; 🕙 10h-1h lun-sam, 10h-24h dim ; 🚇 🚉 Potsdamer Platz ; ✗

Le décor chic conçu par Matteo Thun et de savoureuses spécialités italiennes assurent le succès de ce self-service. Pâtes, salades originales et pizzas croustillantes sont préparées sous vos yeux. Un panier de condiments (avec du basilic frais !) est à disposition. On règle à la sortie la commande enregistrée sur une carte à puce.

🍸 PRENDRE UN VERRE

🍸 CAFÉ AM NEUEN SEE
Biergarten

☎ 254 4930 ; Lichtensteinallee 2 ; 🕙 à partir de 10h tlj mars-oct, sam-dim nov-fév ; 🚇 🚉 Zoologischer Garten ; ✗

Donnant sur un lac du Tiergarten, cette brasserie en plein air de style

---

LE CLASSIQUE, C'EST BRANCHÉ

Mozart, Beethoven et Grieg plutôt que de la techno et de l'électro : voici le concept du **Yellow Lounge** (www.yellowlounge.de), un club itinérant de musique classique qui organise des soirées une fois par mois. Un coup ingénieux d'Universal Music qui entend ainsi gagner un nouveau public pour son label de musique classique Deutsche Grammophon – et ça marche ! Les concerts, très courus, remplissent les clubs les plus en vue de Berlin, notamment le **Berghain** (p. 130), le **Weekend** (p. 61) et le **Cookies** (p. 55). Le DJ David Canisius, également violoniste au Deutsches Kammerorchester, initie un public assez jeune aux trésors musicaux des siècles passés, avant l'entrée en scène des stars de la soirée : l'Emerson String Quartet, Anna Gourari ou Sting, par exemple.

bavarois offre un répit bienvenu, loin de l'agitation urbaine. Après une bière bien fraîche et une *Bratwurst*, des bretzels ou une pizza, les amoureux peuvent même faire un tour en barque.

 # SORTIR

ARSENAL *Cinéma*

☎ 2695 5100 ; www.arsenal-berlin.de ; Sony Center, Potsdamer Strasse 2 ; adulte/enfant 6,50/3 € ; ⏰ ⓡ Potsdamer Platz

Deux jolies salles proposant une programmation audacieuse et variée aux antipodes des grosses productions, allant de la satire japonaise à la comédie brésilienne, en passant par le road-movie allemand. Films souvent sous-titrés en anglais.

PHILHARMONIE DE BERLIN
Musique classique

☎ 2548 8999 ; www.berliner-philharmoniker.de ; Herbert-von-Karajan-Strasse 1 ; billets 7-150 € ; ⏰ ⓡ Potsdamer Platz

Une acoustique exceptionnelle et, grâce à l'aménagement "en terrasse" signé Hans Scharoun, une salle sans mauvaise place : des conditions parfaites pour écouter le très célèbre Orchestre philharmonique de Berlin, actuellement dirigé par Simon Rattle. De juin à septembre, profitez des concerts gratuits du mardi à 13h.

Ludwig veille sur la Philharmonie de Berlin.

CINESTAR ORIGINAL & IMAX 3D *Cinéma*

☎ 2606 6260 ; www.cinestar.de ; Sony Center, Potsdamer Strasse 4 ; tarif plein/réduit 9/7 € ; ⏰ ⓡ Potsdamer Platz

Ce cinéma ultrasophistiqué du Sony Center programme toute l'année les grosses productions hollywoodiennes (en v.o.), ainsi que des films en 3D.

>PRENZLAUER BERG

Les stars sur le déclin savent qu'un lifting réussi peut relancer une carrière ; il semble que l'effet soit le même à l'échelle d'un quartier. Fortement endommagé par la guerre, Prenzlauer Berg est resté délabré des années durant, avant d'être remis à neuf par les promoteurs immobiliers dès la chute du Mur. Aujourd'hui, ses immeubles repeints dans des tons pastel abritent lofts et appartements rénovés, très appréciés des gays, créateurs en tout genre et familles de jeunes actifs.

Cette population bobo a contribué à l'essor des nombreux restaurants, bars branchés, boutiques de design, lieux culturels et supermarchés bio du quartier. Et si les Berlinois trouvent que Prenzlauer Berg n'est plus aussi avant-gardiste qu'avant, ils continuent malgré tout à s'y installer.

La meilleure façon de découvrir le secteur est de s'y promener à pied (voir p. 22). Vous croiserez en chemin un nombre inhabituel de poussettes : l'atmosphère paisible de Prenzlauer Berg et ses nombreux espaces dédiés aux enfants – aires de jeux, boutiques et même cafés – en font un quartier très apprécié des familles.

PRENZLAUER BERG

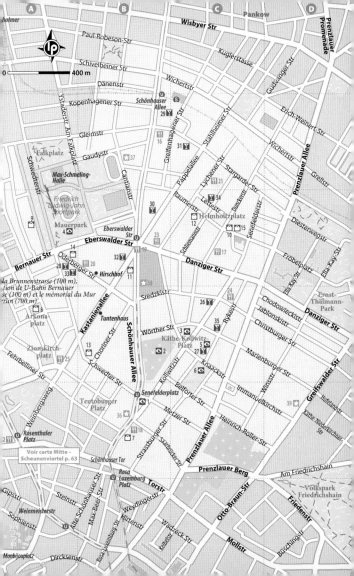

⊙ VOIR

⊙ CIMETIÈRE JUIF

**Jüdischer Friedhof ; ☎ 441 9824 ;
Schönhauser Allee 22 ; entrée libre ;
⏱ 7h30-17h lun-jeu, 7h30-14h30 ven,
8h-17h dim avr-sept, 7h30-16h lun-jeu,
7h30-14h30 ven, 8h-16h dim oct-mars ;
Ⓤ Senefelderplatz ; ♿**

L'artiste Max Liebermann
et le compositeur Giacomo
Meyerbeer font partie des
Berlinois célèbres inhumés dans
le cimetière juif le plus ancien
de la ville (1827) après celui
du Scheunenviertel. Vandalisé
pendant la guerre et endommagé
par les bombardements, l'endroit
reste plaisant, avec ses allées
arborées laissant filtrer la lumière.
Les hommes doivent porter un
couvre-chef (kippas à disposition
à l'entrée).

⊙ KOLLWITZPLATZ

Ⓤ Senefelderplatz

C'est sur cette jolie place
triangulaire qu'a commencé la
rénovation de Prenzlauer Berg.
Prenez place en terrasse et
observez les mamans tatouées,
les jeunes en jeans griffés et les
touristes un peu déboussolés.
À côté d'une grande aire de jeux
se dresse la sculpture en bronze
représentant l'artiste qui a donné
son nom à la place, Käthe Kollwitz.
À découvrir le jeudi ou le samedi,
jours du marché de producteurs.

⊙ MAUERPARK
ET BERNAUER STRASSE

Ⓤ Eberswalder Strasse ; ♿

Le long de cette portion du Mur
– il suivait la Schwedter Strasse
du nord au sud, traversait l'actuel
Mauerpark (parc du Mur) puis
bifurquait vers l'ouest le long de
la Bernauer Strasse – eurent lieu
plusieurs évasions spectaculaires,
tel le saut réussi par-dessus une haie
de barbelés de Conrad Schumann,
garde-frontière de la RDA âgé de
19 ans. La scène fut immortalisée
par le photographe Peter Leibing
(voir le site http://iconicphotos.files.
wordpress.com ; entrez "Schumann"
dans la zone de recherche). Quatre
panneaux commémorant cette
évasion (et trois autres) jalonnent
l'avenue. Pour en savoir plus,
continuez jusqu'au **mémorial du Mur
de Berlin** (☎ 464 1030 ; Bernauer Strasse 111 ;
⏱ 10h-18h avr-oct, 10h-17h nov-mars), à
1 km à l'ouest du Mauerpark. Pour
plus d'infos sur le Mur, reportez-
vous p. 160.

⊙ SYNAGOGUE
DE LA RYKESTRASSE

**☎ 8802 8316 ; www.synagoge-
rykestrasse.de ; Rykestrasse 53 ;
tarif plein/réduit 3/2 €, avec visite
en allemand 6/4 €, en anglais 7/5 € ;
⏱ 14h-18h jeu, 11h-16h dim mars-oct ;
Ⓤ Senefelderplatz ; ♿**

Cette imposante synagogue en
briques rouges de style néo-roman

CHARMANTES PISSOTIÈRES

Il n'est pas dans nos habitudes d'attirer l'attention sur les toilettes publiques, mais cette cabane octogonale verte à l'allure de sapin de Noël devant la station de U-Bahn Senefelder-platz mérite une mention spéciale. Il reste encore un vingtaine de ces vespasiennes surgies dans les rues de Berlin à la fin du XIXᵉ siècle, quand il fallut faire face à l'explosion de la population. Leur forme caractéristique les fit surnommer "**Café Achteck**" (café octogonal). La plupart furent démolies lorsque les habitants accédèrent à plus de confort individuel, mais les dernières sont peu à peu restaurées et modernisées. Les modèles dernier cri – comme celui du Gendarmenmarkt – sont ouverts aux femmes. Mais on n'y sert toujours pas de café...

est la plus grande de Berlin et l'une des rares à n'avoir pas été incendiée lors des pogroms de la nuit de Cristal (1938). Entièrement restauré, ce lieu de culte ouvert à la visite accueille aussi des manifestations culturelles.

🅖 CHÂTEAU D'EAU

Wasserturm ; angle Knaackstrasse et Rykestrasse ; 🅢 Senefelderplatz
Surnommé Dicker Hermann ("le gros Hermann"), ce château d'eau en brique (1873) servit de prison à la Gestapo. Des appartements y furent aménagés après la guerre. Bars et restaurants animés se sont établis en face, dans la Knaackstrasse.

🛍 SHOPPING

Les boutiques de créateurs fleurissent autour de la Helmholtzplatz et le long de la Kastanienallee, de l'Oderberger Strasse et de la Stargarder Strasse. On trouve aussi quelques boutiques intéressantes nichées entre les magasins bon marché de la Schönhauser Allee. Pour faire vos courses, rendez-vous dans le centre commercial situé juste à côté de la station de U-/S-Bahn Schönhauser Allee.

🛍 BIODROGERIE ROSAVELLE
Cosmétiques
☎ 4403 3475 ; www.rosavelle.de ; **Schönhauser Allee 10-11 ; ⏰ 10h-20h ; 🅢 Rosa-Luxemburg-Platz**
Cette jolie boutique de cosmétiques exclusivement naturels propose tout ce qu'il faut pour se refaire une beauté. Les excellentes marques Dr Hauschka et Logona y sont vendues à des prix intéressants. On peut aussi s'y offrir une manucure ou une autre formule de soin.

🛍 ARKONAPLATZ
Marché aux puces
Arkonaplatz ; ⏰ 10h-17h dim ; 🅢 Bernauer Strasse

LES QUARTIERS

PRENZLAUER BERG

Ce petit *Flohmarkt* séduira les nostalgiques de la mode rétro : les stands débordent de meubles originaux, d'accessoires, de vêtements, de vinyles, de livres et de souvenirs "made in RDA".

🏠 MAUERPARK
Marché aux puces
Bernauer Strasse, Mauerpark ; 🕐 **10h-17h dim ;** 🚇 **Eberswalder Strasse**
À explorer dans la foulée des puces d'Arkonaplatz. Occupant un vaste espace jouxtant le Mauerpark, l'endroit compte une multitude de stands, tenus aussi

bien par des créateurs de T-shirts que par des familles du quartier ayant décidé de vider leurs armoires. Enchaînez avec un verre au Mauersegler (un bar en plein air) ou une sieste dans le parc.

🏠 GOLDHAHN & SAMPSON
Alimentation
☎ **4119 8366 ;**
http://goldhahnundsampson.de ; **Dunckerstrasse 9 ;** 🕐 **10h-20h lun-sam, 13h-16h dim ;** 🚇 **Eberswalder Strasse**
Sasha et Andreas, propriétaires de cette épicerie fine, sélectionnent eux-mêmes leurs articles : pains

Jolis sacs sur un stand des puces du Mauerpark, véritable caverne d'Ali Baba

allemands croustillants, sel rose de l'Himalaya, huile d'argan du Maroc et autres raretés. La plupart des produits sont bio et fabriqués par de petits producteurs. Trouvez l'inspiration en vous plongeant dans les livres de recettes de la bibliothèque ou en suivant un cours de cuisine sur place.

🏠 LUXUS INTERNATIONAL
Cadeaux et souvenirs

☎ 4432 4877 ; Kastanienallee 101 ; 🕐 11h-20h lun-ven, 11h-16h sam ; 🚇 Eberswalder Strasse

Les créateurs ne manquent pas à Berlin, mais rares sont ceux qui parviennent à ouvrir leur propre boutique. D'où l'idée de Luxus International de leur louer une ou deux étagères pour exposer leurs travaux, toujours 100 % berlinois (serviettes, T-shirts, gadgets, sacs à motif de Trabant, etc.).

🏠 TA(U)SCHE *Sacs*

☎ 4030 1770 ; www.tausche-berlin.de ; Raumerstrasse 8 ; 🕐 11h-20h lun-ven, 11h-18h sam ; 🚇 Eberswalder Strasse

Heike Braun et Antje Strubels, tous deux architectes paysagistes de formation, fabriquent artisanalement des sacoches de toutes tailles, pratiques, solides et jolies, équipées de rabats amovibles permettant de changer de style en quelques secondes.

🏠 VAMP STAR SALON *Mode*

☎ 4057 6960 ; Schwedter Strasse 22 ; 🕐 13h-20h lun-sam ; 🚇 Senefelderplatz

Admirez les créations originales (dont une gamme de T-shirts aux motifs psychédéliques) d'Endo, styliste japonais installé à Berlin, et les jeans et doudounes en coton bio de la marque japonaise Dope & Drakkar.

🏠 VEB ORANGE *Articles vintage*

☎ 9788 6886 ; www.veborange.de ; Oderberger Strasse 29 ; 🕐 10h-20h lun-sam ; 🚇 Eberswalder Strasse

Présentant une belle sélection d'objets des années 1960 et 1970, cet endroit rappelle combien la déco d'intérieur pouvait alors être colorée, joyeuse et… plastifiée. Les meubles, accessoires, lampes et vêtements de toutes sortes reflètent l'irrésistible côté kitsch de l'époque.

🏠 ZWISCHENZEIT
Articles vintage

☎ 4467 3371 ; Raumerstrasse 35 ; 🕐 14h-19h lun-ven, 11h-17h sam ; 🚇 Eberswalder Strasse

Une petite boutique pétillante, qui répond à l'engouement des Berlinois pour le style rétro, avec de nombreux articles (vaisselle, meubles, jeux de société, couvre-lits, etc.), tous en excellent état et vendus à des prix raisonnables.

Gordon W
Chef et concepteur de W-Imbiss (p. 96), adepte de Tiki, joueur de thérémin et membre du Neoism (mouvement artistique expérimental canadien)

Pourquoi avoir quitté le Canada pour vous installer à Berlin ? En raison du dynamisme de la scène artistique et alternative, de la tolérance générale et puis on peut boire, fumer, se coucher à pas d'heure… **Où allez-vous quand vous avez envie de bien manger ?** J'adore le Sasaya (ci-contre), surtout sa seiche grillée à la mayonnaise au wasabi. **Berlin est-elle meilleure pour le sexe ou pour la romance ?** Il y a des lupanars partout. Côté romance, la chance m'a souri une fois. Et puis, il y a le KitKatClub (p. 61) pour les décadents. **En quoi Berlin a-t-elle changée depuis que vous vivez ici ?** Berlin est encore à l'avant-garde, mais l'argent change la donne, certain quartiers s'embourgeoisent, ce qui pousse les artistes dehors alors qu'ils rendaient ces lieux vivants. **Pourquoi apprenez-vous le tango ?** Le tango m'a ensorcelé. Berlin est la deuxième ville au monde pour le tango, après Buenos Aires.

⚏ SE RESTAURER

⚏ FELLAS *Allemand* €€

☎ 4679 6314 ; www.fellas-berlin.de ; **Stargarder Strasse** ; 🕙 10h-1h ; Ⓤ 🚇 **Schönhauser Allee** ; 🛜 V

Le chef de ce restaurant de quartier décontracté pourrait sans peine officier dans un établissement plus chic. Les salades et les *Schnitzel* (escalopes) figurant à la carte sont excellentes, mais c'est surtout le savoureux menu spécial qui permet d'apprécier son talent. Très agréable aussi pour grignoter un en-cas ou boire un verre de vin.

⚏ HANS WURST *Végétarien* €

☎ 4171 7822 ; **Dunckerstrasse 2a** ; 🕙 12h-24h mar-dim ; 🚇 **Prenzlauer Allee** ; 🚫 V

Contrairement à ce que laisse croire son nom, on ne sert dans cet élégant café bobo ni saucisse ni aucun autre plat carné. Le chef et propriétaire, Michael Ristock, est maître dans l'art de sublimer les saveurs d'ingrédients bio et issus du commerce équitable. Petits plus : l'excellente musique, la clientèle détendue et les pizzas.

⚏ I DUE FORNI *Italien* €

☎ 4401 7373 ; **Schönhauser Allee 12** ; 🕙 12h-24h ; Ⓤ **Senefelderplatz** ; 🚫

Un endroit bruyant, tenu par une équipe de néo-punks italiens qui se préoccupe peu de la qualité du service, mais prépare d'excellentes pizzas, ce qui suffit au bonheur des jeunes tatoués et des familles bobo attablés dans la grande salle aux murs couverts de graffitis. Terrasse sympathique. Réservez si vous souhaitez dîner après 20h.

⚏ KONNOPKE'S IMBISS *Allemand* €

☎ 442 7765 ; www.konnopke-imbiss.de ; **Schönhauser Allee 44a** ; 🕙 6h-20h lun-ven, 12h-19h sam ; Ⓤ **Eberswalder Strasse**

Cette légendaire baraque à saucisses installée sous la ligne de métro aérien depuis 1930 sert l'une des meilleures *Currywürste* (saucisses au curry) de Berlin. À déguster bien chaude.

⚏ ODERQUELLE *Allemand* €€

☎ 4400 8080 ; **Oderberger Strasse 27** ; 🕙 18h-1h ; Ⓤ **Eberswalder Strasse** ; 🚫

C'est le genre d'endroit parfait pour déguster une *Flammkuchen* ou une autre spécialité allemande bien cuisinée accompagnée d'une bonne bière. Hélas, sans réservation, les chances de trouver une table après 20h sont maigres. Dernière option : se faufiler entre deux tabourets au bar.

⚏ SASAYA *Asiatique* €€

☎ 4471 7721 ; **Lychener Strasse 50** ; 🕙 12h-15h et 18h-22h30 mar-jeu ; Ⓤ 🚇 **Schönhauser Allee**

Tout ce que nous avons goûté dans ce restaurant minimaliste était parfait : sushis, salade, tempura, poisson... L'endroit se remplit vite d'expatriés japonais et de Berlinois branchés. Réservez plusieurs jours à l'avance.

☷ SCHLEMMERBUFFET
Moyen-oriental   €
☎ 283 2153 ; Torstrasse 125 ;
🕐 24h/24 ; ⊕ Rosenthaler Platz ; ✗
Les meilleurs kebabs de la ville, tout simplement.

☷ SCHUSTERJUNGE
Allemand   €
☎ 442 7654 ; Danziger Strasse 9 ;
🕐 11h-24h ; ⊕ Eberswalder Strasse ; ✗
Un petit resto rustique au charme authentique. La cuisine est excellente : grandes assiettes de goulasch, de rôti de porc et de *Sauerbraten* (rôti de bœuf mariné dans du vinaigre), à accompagner d'une bière locale – Bürgerbräu ou Bernauer Schwarzbier.

☷ SI AN *Vietnamien*   €
☎ 4050 5775 ; www.sian-berlin.de ;
Rykestrasse 36 ; 🕐 12h-24h ;
⊕ Eberswalder Strasse ; ✗
Cadre design élégant pour l'un des meilleurs restaurants vietnamiens de la ville, fréquenté par une clientèle branchée, des jeunes mamans affairées, et parfois même des célébrités, comme Tom

Cruise. Le service pourrait être plus rapide et plus aimable.

☷ W-IMBISS *Fusion*   €
☎ 4849 2657 ; Kastanienallee 49 ;
🕐 12h-24h ; ⊕ Rosenthaler Platz ; ✗
Dans la minuscule cuisine en surchauffe, on concocte une cuisine fantasque, fusion entre l'Inde, l'Italie et la Californie : pizzas-naans, *quesadillas* aux haricots noirs et bols de riz au poisson tandoori. Le jus de pomme à la spiruline est parfait pour les lendemains de fête.

☙ PRENDRE UN VERRE

☙ ANNA BLUME *Café*
☎ 4404 8749 ; www.cafe-anna-blume.de ;
Kollwitzstrasse 83 ; 🕐 8h-2h ;
⊕ Eberswalder Strasse ; ✗
Ce café portant le nom d'un poème de Kurt Schwitters sert de bureau à nombre d'adeptes de l'ordinateur portable. On y croise aussi beaucoup de jeunes familles du quartier. Café corsé, gâteaux maison et fleurs de la boutique attenante parfument la salle Art nouveau. Par beau temps, la grande terrasse est idéale pour observer ses semblables.

☙ BAR GAGARIN *Café-bar*
☎ 442 8807 ; Knaackstrasse 22-24 ;
🕐 10h-2h ; ⊕ Senefelderplatz

Un bar lounge rétro dédié au fameux cosmonaute soviétique, moins chic que le Pasternak voisin. Vodka, bière russe et bortsch vous aideront à décoller, sur fond de fresque spatiale et du brouhaha des conversations. Personnel accueillant. On y sert aussi de bons petits déjeuners, des plats russes et des brunchs (le dimanche). Articles de toilette à disposition dans les toilettes pour dames.

🍸 BONANZA COFFEE HEROES *Café*
☎ 0178 144 1123 ; Oderberger Strasse 35 ; ⏱ 8h30-19h lun-mar

et ven, 10h-19h sam-dim ;
Ⓢ Eberswalder Strasse ; ✂

Si pour vous les mots Synesso Cyncra et café "Troisième vague" ont un sens, c'est que vous parlez la même langue que Kiduk et Yumi, les propriétaires de ce minuscule temple du café. Bondé le dimanche, jour d'ouverture des puces du Mauerpark.

🍸 DECK 5 *Bar de plage*
www.freiluftrebellen.de ;
Schönhauser Allee 80 ; ⏱ 10h-24h ;
Ⓢ 🚇 Schönhauser Allee

L'appétissant buffet du brunch du dimanche au Bar Gagarin

Contemplez les lumières de la ville les pieds dans le sable : ce *"beach-bar"* est situé sur le toit-terrasse du Schönhauser Arkaden. Prenez l'ascenseur dans le centre commercial ou grimpez l'interminable escalier partant de la Greifenhagener Strasse.

KLUB DER REPUBLIK *Bar*
Pappelallee 81 ; à partir de 22h ; Eberswalder Strasse
Aucune enseigne ne signale cette ancienne salle de bal, que l'on repère à ses vitres embuées. En haut d'un escalier branlant, l'atmosphère est pure "Ostalgie" (nostalgie pour l'ex-RDA) : fauteuils usés, papier peint psychédélique et énormes boules lumineuses. Joignez-vous à la foule branchée sur fond de musique électro et de projections vidéo, et profitez du prix avantageux des boissons.

MARIETTA *Café-bar*
4372 0646 ; www.marietta-bar.de ; Stargarder Strasse 13 ; à partir de 10h ; Schönhauser Allee
Bar de quartier au style rétro affirmé. Observez la rue par la grande fenêtre ou allez boire un verre dans la salle du fond, plus calme, aux lumières tamisées. Le mercredi, le Marietta est une adresse gay appréciée pour commencer la soirée.

PRATER *Biergarten*
448 5688 ; www.pratergarten.de ; Kastanienallee 7-9 ; à partir de 12h avr-sept ; Eberswalder Strasse
Fondé en 1837, le plus ancien des *Biergarten* berlinois a conservé son charme d'antan. Sirotez une choppe bien fraîche à l'ombre des marronniers pendant que les enfants jouent sur l'aire de jeux.

ROTE LOTTE *Bar*
0177 345 3693 ; www.rote-lotte.de ; Oderberger Strasse 38 ; 20h-2h ; Eberswalder Strasse
Ainsi baptisé en hommage à une résistante antinazie, ce petit bar, avec ses canapés en velours, sa lumière tamisée et sa musique indé, offre un cadre propice aux longues conversations autour de quelques verres. Le Lotte est aussi le nom de la spécialité maison, un mélange de vodka et de liqueur à la fraise et au citron.

WOHNZIMMER *Café-bar*
445 5458 ; www.wohnzimmer-bar.de ; Lettestrasse 6 ; à partir de 9h ; Schönhauser Allee
Le Wohnzimmer ("salon") séduit par sa déco vintage faite de canapés et de fauteuils dépareillés. On s'y donne rendez-vous pour discuter autour d'un petit déjeuner bio, d'un goûter ou d'une bonne bière. L'endroit ne s'anime vraiment que le soir.

🍸 ZUM SCHMUTZIGEN HOBBY *Bar gay*

www.ninaqueer.com ; Rykestrasse 45 ; 🕐 à partir de 17h ; Ⓜ Senefelderplatz
Un bar louche au décor kitsch et glamour où la diva des drag-queens Nina Queer préside à des soirées déconseillées aux plus timorés (la tapisserie porno des toilettes des hommes en dit long sur l'endroit). Le quiz "glam" du mercredi (à 21h) attire les foules.

⭐ SORTIR

⭐ BASSY *Club*

☎ 281 8323 ; www.bassy-club.de ; Schönhauser Allee 176a ; tarifs variables ; 🕐 à partir de 22h ven-sam ; Ⓜ Senefelderplatz
Quand il ne programme pas des groupes locaux, cet antre obscur prisé d'une clientèle née après la réunification vibre au son des tubes d'avant 1969. Ses canapés cosy sont parfaits pour se détendre et flirter. Le jeudi, la drag-queen Chantal anime la soirée gay House of Shame. Le Bassy accueille aussi la soirée à thème "Boheme Sauvage Roaring Twenties" (www.boheme-sauvage.de).

⭐ ICON *Club*

☎ 4849 2878 ; www.iconberlin.de ; Cantianstrasse 15 ; 3-10 € ; 🕐 à partir de 23h30 mar, ven et sam ; Ⓜ Eberswalder Strasse
Installé au sous-sol d'une ancienne brasserie, le labyrinthique Icon est le temple du drum'n'bass ; la soirée Recycle du samedi est une institution. Le vendredi ont souvent lieu des soirées breakbeat nu-skool et downtempo. Des DJ de réputation internationale tels Grooverider et Nightmares on Wax mixent parfois ici.

🔲 KULTURBRAUEREI *Centre culturel*

☎ 4431 5151 ; www.kulturbrauerei-berlin.de ; Schönhauser Allee 36-39 ; Ⓜ Eberswalder Strasse
Les bâtiments fantaisistes en brique rouge et jaune de cette brasserie du XIXᵉ siècle abritent désormais un pôle culturel doté d'un théâtre, de salles de concert, de restaurants, de night-clubs, de galeries et d'un multiplexe.

🔲 MAGNET *Musique live*

☎ 4400 8140 ; www.magnet-club.de ; Greifswalder Strasse 212-213 ; 1-15 € ; 🕐 concerts 20h, soirées 23h ; 🚋 M4 ; ✕
Ce petit bastion de la musique indé ne paye pas de mine mais a pourtant lancé plusieurs groupes aujourd'hui reconnus, comme LCD Soundsystem et les Presets. Après le concert, des DJ enflamment les pistes à coups de punk, de pop et d'électro.

>KREUZBERG EST ET KREUZKÖLLN

Quartier branché, Kreuzberg Est – ou "SO36", d'après son code postal d'avant la réunification – doit son succès à son pauvre caractère audacieux, extravagant et surtout imprévisible, ainsi qu'à la mosaïque de cultures qui le composent. Imaginez des échoppes de kebabs (*dönerias*) jouxtant des cafés brésiliens, des mères de familles voilées poussant leurs landaus devant des punks couverts de piercings et des étudiants assistant à des films en plein air au côté de gothiques aux longs manteaux de cuir…

L'esprit alternatif du SO36 est né à l'époque de la guerre froide. Encadré par le Mur sur trois côtés, le plus pauvre des quartiers de Berlin-Ouest est peu à peu devenu un vivier de la contre-culture rassemblant étudiants, punks, déserteurs et squatteurs, faisant la une tous les 1er mai à l'occasion des violents affrontements y opposant les altermondialistes à la police. En replaçant le quartier au cœur de Berlin, la chute du Mur a fait monter les loyers, obligeant étudiants, artistes et créateurs à migrer vers le secteur plus populaire de Neukölln. Rebaptisés "Kreuzkölln",

KREUZBERG EST ET KREUZKÖLLN

🛍 SHOPPING
Die Imaginäre
  Manufaktur 1 B2
Jumbo Second Hand 2 C2
Killerbeast 3 E2
Overkill 4 D2
UKO Fashion 5 B2
UVR Connected 6 A1

🍴 SE RESTAURER
Burgermeister 7 E2
Café Jacques 8 B3
Defne 9 A3
Hartmanns 10 A4
Hasir 11 B2
Henne 12 A1
Horváth 13 B3

Il Casolare 14 A3
Major Grubert 15 B4
Musashi 16 B3
Rissani 17 C2
Spindler & Klatt 18 C1
Türkenmarkt 19 B3
Yellow Sunshine 20 C2

🍸 PRENDRE UN VERRE
Ankerklause 21 B3
Bellmann 22 D3
Freischwimmer 23 F3
Luzia 24 A2
Madame Claude 25 D2
Möbel Olfe 26 A2
Monarch Bar 27 B2

Orient Lounge 28 B2
Raumfahrer 29 B4
Rosa Bar 30 C2
Roses 31 B2
San Remo Upflamör ... 32 C2
Silverfuture 33 C4
Würgeengel 34 A2

⭐ SORTIR
Badeschiff 35 F3
Club der Visionäre 36 F3
Dot Club 37 E2
Lido 38 E2
SO36 .... 39 B2
Watergate 40 E2
Wild at Heart 41 C3

de la Reuterstrasse, de la Hobrechtstrasse et de la Weserstrasse, en pleine mutation, et leurs bars au look glauque très tendance, forment le nouveau foyer de la culture alternative.

🛍 SHOPPING

🏠 DIE IMAGINÄRE MANUFAKTUR *Cadeaux*

☎ 2850 3012 ; www.geschenkesos.de ; Oranienstrasse 26 ; ⏳ 10h-19h lun-ven, 11h-16h sam ; 🚇 Kottbusser Tor, Görlitzer Bahnhof

Depuis plus de cent ans, des artisans aveugles ou malvoyants fabriquent brosses et balais dans cet atelier-boutique à l'ancienne. Une idée de cadeau ? La brosse en forme d'ours. Céramiques, vanneries et jouets en bois figurent aussi parmi les articles.

🏠 JUMBO SECOND HAND *Friperie*

Wiener Strasse 63 ; ⏳ 11h-19h30 lun-sam ; 🚇 Görlitzer Bahnhof

Vous cherchez des chaussures à semelle compensée, un T-shirt de l'époque de la RDA ou une ceinture en cuir tressé ? Dénichez l'ensemble pour moins de 50 € dans cette friperie qui déborde d'articles. Une bonne adresse pour les fauchés accros au look vintage.

🏠 KILLERBEAST *Mode*

☎ 9926 0319 ; www.killerbeast.de ; Schlesische Strasse 31 ; ⏳ 15h-19h30

lun, 12h-19h30 mar-ven, 11h-16h sam ; 🚇 Schlesisches Tor

"Mort à l'uniformité" : telle est la devise de cette boutique singulière. Dans l'atelier, à l'arrière, Claudia et son équipe créent des vêtements neufs à partir de vieux habits. Tous sont uniques et vendus à des prix très raisonnables.

🏠 OVERKILL *Mode*

☎ 107 33 ; www.overkill.de ; Köpenicker Strasse 195a ; ⏳ 11h-20h lun-sam ; 🚇 Schlesisches Tor

Magazine consacré à l'art urbain lancé en 1992, Overkill est devenu l'un des hauts lieux du *streetwear* en Allemagne. On y trouve une incroyable sélection de baskets en édition limitée, signées Onitsuka Tiger, Converse ou Asics, ainsi que des imports de marques cultes – Stüssy, Carhartt et Rocksmith.

🏠 UKO FASHION *Mode*

☎ 693 8116 ; www.uko-fashion.de ; Oranienstrasse 201 ; ⏳ 11h-20h lun-ven, 11h-16h sam ; 🚇 Görlitzer Bahnhof

La qualité à petits prix : voici la formule magique qui vaut une clientèle fidèle à ce magasin épuré. Craquez pour les dernières créations de Pussy Deluxe et Muchacha, des articles de marque de seconde main (Esprit, Zappa et autres) ou des modèles créés par Vero Moda, Only et Boyco.

☐ UVR CONNECTED *Mode*

☎ 614 8125 ; www.uvrconnected.de ; Oranienstrasse 36 ; ⏱ 11h-20h lun-sam ; ⓤ Kottbusser Tor, Görlitzer Bahnhof

Plus grand qu'il n'y paraît, ce magasin de *streetwear* propose une impressionnante quantité de marques de créateurs branchés. On peut s'y habiller de la tête au pied : chapeaux, sweat à capuche, T-shirts, robes, jeans, chaussures et bijoux, toujours originaux.

SE RESTAURER

☐ BURGERMEISTER
Américain €

☎ 2243 6493 ; Oberbaumstrasse 8 ; ⏱ 11h-2h (ou plus) ; ⓤ Schlesisches Tor

Il fallait y penser ! Ouvrir un fast-food dans d'anciennes toilettes publiques centenaires, sous les voies du U-Bahn ! Et ça marche ! On y déguste debout de bons gros hamburgers.

☐ CAFÉ JACQUES
International €€

☎ 694 1048 ; Maybachufer 8 ; ⏱ 18h-24h ; ⓤ Schönleinstrasse ; ✗

Fleurs, bougies et vins exquis composent une atmosphère

intime propice aux rendez-vous amoureux. Mais il suffit d'aimer la bonne cuisine pour apprécier cet endroit au charme bohème. Si vous hésitez entre les spécialités françaises et nord-africaines, le charismatique patron, Ahmad, saura vous conseiller. Réservez !

☐ DEFNE *Turc*
€€

☎ 8179 7111 ; www.defne-restaurant.de ; Planufer 92c ; ⏱ 16h-1h ; ⓤ Kottbusser Tor, Schönleinstrasse

La cuisine turque ne se résume pas au *döner kebab* ! Le succulent assortiment d'entrées (houmous, carottes à l'ail, pâte de piments aux noix…) servi ici suffit à s'en convaincre. Joliment situé au bord d'un canal, l'endroit profite d'un cadre chaleureux et exotique et d'un service impeccable.

☐ HARTMANNS
Méditerranéen €€€

☎ 6120 1003 ; www.hartmanns-restaurant.de ; Fichtestrasse 31 ; ⏱ 18h-24h lun-sam ; ⓤ Südstern ; ✗

Stefan Hartmann, la nouvelle étoile du firmament culinaire berlinois, a décroché le titre de chef de l'année en 2008, un an seulement après avoir ouvert son restaurant. Installé en sous-sol dans un cadre romantique, vous dégusterez une cuisine créative d'inspiration franco-méditerranéenne – flétan frit et ses asperges à l'estragon, caille aux tortellinis de carottes…

🍴 HASIR *Turc* €€
☎ 614 2373 ; www.hasir.de ; **Adalbertstrasse 10 ;** 🕒 **24h/24;** 🚇 **Kottbusser Tor ;** ✗
Voici la maison mère d'une petite chaîne créée par Mehmed Aygün, qui inventa le *döner kebab* à la berlinoise en 1971. Les clients s'y bousculent jour et nuit, dans un joli décor, afin de déguster l'agneau aux épices ou le copieux assortiment d'entrées (feuilles de vignes farcies, houmous citronné et autres délices exotiques).

🍴 HENNE *Allemand* €
☎ 614 7730 ; www.henne-berlin.de ; **Leuschnerdamm 25 ;** 🕒 **à partir de 19h mar-sam, à partir de 17h dim ;** 🚇 **Kottbusser Tor, Moritzplatz ;** ✗
Vous n'aimez pas les cartes à rallonge ? Vous adorerez cette institution berlinoise dont tout le menu tient dans le nom : "poulet". Rôti, délicieusement moelleux et croustillant, il se déguste depuis 1907 dans une salle ornée de boiseries, ou dehors l'été. Réservation conseillée.

🍴 HORVÁTH
International €€€
☎ 6128 9992 ; www.restaurant-horvath.de ; **Paul-Lincke-Ufer 44a ;** 🕒 **18h-1h mar-dim ;** 🚇 **Kottbusser Tor ;** ✗

Dans ce petit bijou aligné au côté d'autres bistrots en bordure du Landwehrkanal, Wolfgang Müller travaille les saveurs de l'Asie, de l'Allemagne et de la Méditerranée pour créer des spécialités uniques telles que le foie gras aux coquilles Saint-Jacques et aux poireaux à l'orange vanillée. Le menu dégustation (10 plats, 63 €) permet d'apprécier toute l'étendue de son talent.

🍴 IL CASOLARE *Italien* €
☎ 6950 6610 ; **Grimmstrasse 30 ;** 🕒 **12h-24h ;** 🚇 **Kottbusser Tor, Schönleinstrasse**
Les serveurs se montrent plus courtois qu'auparavant, et c'est tant mieux car cet établissement trépidant d'animation sert de fameuses pizzas, fines, croustillantes, énormes et bon marché. À déguster dans le cadre idyllique du *Biergarten*, au bord du canal.

🍴 MAJOR GRUBERT
Français €
☎ 0176 6421 5251 ; **Hobrechtstrasse 57 ;** 🕒 **à partir de 16h mar-dim ;** 🚇 **Schönleinstrasse**
Le héros créé par le dessinateur de BD Moebius a donné son nom à ce joli bistrot-pub servant crêpes, quiches, salades et plats en sauce. Avec un verre de vin, on s'en tire pour moins de 10 €.

🍴 MUSASHI *Japonais* €
☎ 693 2042 ; Kottbusser Damm 102 ;
🕑 12h-22h30 lun-sam, 14h-22h dim ;
🚇 Schönleinstrasse ; ✗
Que les puristes se réjouissent :
point de *wasabi* à l'huile parfumée
à la truffe ni autre aberration
du genre dans cette minuscule
boutique à sushis souvent
bondée. Le thon, le saumon, bien
marbré, ainsi que les autres poissons
sont d'une fraîcheur irréprochable,
tranchés par des experts nippons,
et à prix abordables qui plus est.
Venez aux heures creuses pour
trouver une table ou emportez
vos sushis et installez-vous près
du canal.

🍴 RISSANI *Moyen-oriental* €
☎ 6162 9433 ; Spreewaldplatz 4 ;
🕑 12h-3h dim-jeu, 12h-5h ven-sam ;
🚇 Görlitzer Bahnhof ; ✗
Ce petit restaurant aux couleurs
exotiques sert des falafels et des
chawarmas (pitas fourrées de
lamelles de viande, laitue, tomate
et sauce à l'ail) fraîchement
préparés. Thé offert par la maison
– pour faire le plein de vitamines,
il y a aussi un jus orange-carotte.

🍴 SPINDLER & KLATT *Fusion* €€
☎ 319 881 860 ; www.spindlerklatt.com ;
Köpenicker Strasse 16/17 ;
🕑 20h-1h tlj mai-oct, mer-sam
nov-avril ; 🚇 Schlesisches Tor ; ✗

Les nuits sont magiques sur
la terrasse de cette ancienne
boulangerie industrielle
prussienne transformée en
restaurant-boîte de nuit très
tendance. Choisissez l'une des
grandes tables ou étendez-
vous sur un lit plateforme pour
siroter un Watermelon Man ou
déguster un plat d'inspiration
asiatique. L'intérieur, tout aussi
spectaculaire, se transforme en
night-club le vendredi et le
samedi à partir de 23h.

🍴 TÜRKENMARKT
Marché turc €
Maybachufer ; 🕑 12h-18h30
mar et ven ; 🚇 Schönleinstrasse
Comme sur les rives du Bosphore,
vous trouverez sur ce marché
olives, feta, pain frais et fruits
et légumes en tous genres, le
tout à des prix défiant toute
concurrence. Pique-nique sous le
bras, longez le canal vers l'ouest
jusqu'au petit parc situé à côté de
l'Urbanhafen.

🍴 YELLOW SUNSHINE
Végétarien €
☎ 69598720 ; www.yellow-sunshine.com ;
Wiener Strasse 19 ; 🕑 12h-24h lun-jeu,
12h-1h ven-sam ; 🚇 Görlitzer Bahnhof ;
✗ 🛜 Ⓥ
Fast food n'est pas nécessairement
synonyme de malbouffe, la
preuve : cet établissement bio sert

Dîner très tendance dans une ancienne boulangerie industrielle, le Spindler & Klatt (p. 105)

de délicieux burgers végétariens, ainsi qu'un steak de seitan et une *Currywurst* au tofu qui pourraient bien inciter les carnivores les plus féroces à faire un écart de régime.

ⓨ PRENDRE UN VERRE

Si l'Oranienstrasse et la Schlesische Strasse sont bien connues pour leurs bars, on trouve aussi de plus en plus d'établissements branchés dans la Wiener Strasse et la Skalitzer Strasse. À Kreuzkölln, la Hobrechtstrasse et la Weserstrasse sont en plein essor.

ⓨ Ä *Pub*
☎ 0177 406 3837 ; www.ae-neukoelln.de ; Weserstrasse 40 ; 🕓 à partir de 17h ; ⊖ Rathaus Neukölln

L'un des pionniers de Kreuzkölln, parfait pour commencer la soirée, faire la fête jusqu'à l'aube ou simplement passer un bon moment installé sur l'un des sièges colorés. DJ, concerts. Tous les mois, la *Schmusetiersoap* (soirée spéciale animaux en peluche) attire les foules.

ⓨ ANKERKLAUSE *Pub*
☎ 693 5649 ; www.ankerklause.de ; Kottbusser Damm 104 ; 🕓 à partir

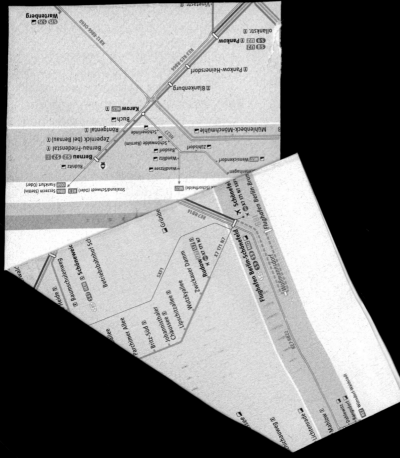

de 16h lun, à partir de 10h mar-dim ;
🚇 Kottbusser Tor ; ✂
Ohé matelots ! Dotée du meilleur
juke-box de la ville, cette
taverne au décor nautique kitsch
aménagée dans une vieille cahute
de capitaine est parfaite pour
lamper un verre tout en hélant les
bateaux avançant paisiblement
sur le Landwehrkanal. Le jeudi,
les DJ mixent pour une clientèle
décontractée un fameux mélange
de disco, rock indé et électro.

▼ BELLMANN Pub
☎ 6953 7189 ; Reichenberger
Strasse 103 ; ⏱ à partir de 18h ;
🚇 Görlitzer Bahnhof
Les conversations vont bon train
dans ce pub toujours bondé qui
a la faveur des gens du quartier.
L'ambiance séduit par son côté
à la fois "glamour" (haut plafond,
moulures en stuc, sublimes
cocktails et éclairage à la bougie)
et sans prétention (tables toutes
simples, murs bruts et… éclairage
à la bougie !). La carte, sans grand
choix mais de bonne qualité, aide
à combler les petits creux.

▼ FREISCHWIMMER
Café-bar
☎ 6107 4309 ; www.freischwimmer-
berlin.de ; Vor dem Schlesischen Tor 2a ;
⏱ à partir de 14h lun-ven, à partir de
11h sam-dim, renseignez-vous pour les
horaires d'hiver ; 🚇 Schlesisches Tor

Cet ancien hangar à bateaux sans
fioriture est doté d'un ponton-
terrasse ensoleillé donnant sur un
petit canal. Un endroit idyllique où
prendre un verre, avaler un en-cas
ou savourer un brunch dominical.

▼ KIKI BLOFELD Bar de plage
www.kikiblofeld.de ; Köpenicker
Strasse 48/49 ; ⏱ à partir de 14h
lun-ven, à partir de 12h sam-dim ;
🚇 Heinrich-Heine-Strasse
Venez chez Kiki pour passer un
moment à vous balancer dans un
hamac ou à paresser étendu sur
la pelouse. À moins que vous ne
préfériez la plage en bordure de
Spree, ou le ponton, pour faire
signe aux bateaux ? Ou regarder
un film original, ou danser dans
un ancien bâtiment de l'armée
est-allemande ? Pour vous rendre
sur place, repérez le panneau
DAZ 48/49, passez devant le
concessionnaire automobile et
cherchez le trou dans la palissade.

▼ LUZIA Bar
☎ 6110 7469 ; www.luzia.tc ;
Oranienstrasse 34 ; ⏱ à partir de 9h ;
🚇 Kottbusser Tor ; ✂ 📶
Avec ses meubles anciens, ses
papiers peints recherchés et ses
fresques pleines de fantaisie
créées par Chin Chin, le Luzia attire
le gratin du SO36. Si certains le
considèrent avec dédain comme
un îlot de Mitte échoué

à Kreuzberg, il n'en offre pas moins un cadre agréable, avec son éclairage parvenant à redonner vie aux visages les plus ternes.

Y MADAME CLAUDE *Bar*

Lübbener Strasse 19 ; ⏰ à partir de 19h ; Ⓢ Schlesisches Tor, GörlitzerBahnhof ; ✗
Les lois de la gravité semblent mises à l'épreuve dans ce bar aux allures de living-room où tables, chaises et théières se balancent au plafond. Mais rassurez-vous : il reste de confortables canapés, parfaits pour se relaxer. Des soirées sont organisées régulièrement, dont un quiz musical le mercredi.

Y MÖBEL OLFE *Pub*

☎ 6165 9612 ; www.moebel-olfe.de ; Reichenberger Strasse 177 ; ⏰ à partir de 18h mar-dim ; Ⓢ Kottbusser Tor
Toujours animé et convivial, ce pub bon marché aménagé dans un ancien magasin de meubles attire une clientèle éclectique. Les squelettes d'animaux au-dessus du bar peuvent avoir un effet psychédélique après quelques bières polonaises ou plusieurs verres de vodka. Entrée sur la Dresdener Strasse.

Y MONARCH BAR *Bar*

Skalitzer Strasse 134 ; ⏰ à partir de 21h mar-sam ; Ⓢ Kottbusser Tor

Félicitations si vous trouvez ce bar du premier coup ! Un indice : l'entrée, non signalée, se trouve à côté du *döner kebab* situé à l'est du supermarché Kaiser. Derrière les vitres fumées de l'étage, dans un décor mêlant ingénieusement le sophistiqué et le grunge, beats électro et alcools forts contribuent à la décontraction ambiante.

Y ORIENT LOUNGE *Bar*

☎ 6956 6762 ; www.orient-lounge.com ; Oranienstrasse 13 ; ⏰ à partir de 17h ; Ⓢ Görlitzer Bahnhof
Un lounge raffiné où l'on fume la shisha sur fond de musique arabe et de parfums de pomme et de miel mêlés. Calez-vous sur un coussin dans l'ambiance sensuelle du salon, ou réservez une alcôve privée pour siroter des cocktails à l'abri d'un rideau de perles. Entrée par le pub Rote Harfe.

Y RAUMFAHRER *Bar*

Hobrechtstrasse 54 ; ⏰ à partir de 19h lun-sam ; Ⓢ Schönleinstrasse
Quelques verres suffisent à basculer dans un autre univers dans ce bar underground évoquant une capsule spatiale cramoisie. Bonne ambiance, bière bien fraîche et clientèle cool.

Y ROSA BAR *Bar*

☎ 7007 1910 ; Spreewaldplatz 2 ; ⏰ à partir de 20h ; Ⓢ Görlitzer Bahnhof

Repérez l'enseigne rose indiquant simplement "Bar", sonnez, et descendez au sous-sol pour rejoindre les gens du coin installés sur de gros poufs ou dans l'une des trois alcôves, très convoitées. Belle carte de cocktails.

⚊ ROSES *Bar gay*
☎ 615 6570 ; Oranienstrasse 187 ;
🕐 à partir de 21h ; ⊕ Kottbusser Tor

Top du kitsch gay – jetez un œil aux Vierges en plastique –, le Roses scintille telle une étoile sur le circuit des bars gays et lesbiens de Kreuzberg. Les barmans ont le coude léger !

⚊ SAN REMO UPFLAMÖR *Café-bar*
☎ 7407 3088 ; www.sanremo-upflamoer.de ; Falckensteinstrasse 46 ;
🕐 10h-2h ; ⊕ Schlesisches Tor

Ce café sans prétention situé à côté de l'Oberbaumbrücke est un bon point de départ pour écumer les bars de Kreuzberg. Si une clientèle décontractée, des serveurs sympas, des sessions DJ et quelques bières bien fraîches ne vous mettent pas d'humeur festive, c'est à désespérer ! Café et pâtisseries servis dans la journée (non-fumeurs avant 20h).

⚊ SILVERFUTURE *Bar*
Weserstrasse 206 ; 🕐 à partir de 17h ;
⊕ Hermannplatz

Habillée de violet, de bordeaux et d'argent, la coqueluche des bars gays – mais néanmoins "hétérofriendly" – de Kreuzkölln est aussi délicieusement "too much" que la main baladeuse de votre drag-queen préférée. Avec Madonna en musique de fond, un frigo empli de bières polonaises et tchèques et des sourires sur tous les visages, la soirée s'annonce bien.

⚊ WÜRGEENGEL *Bar*
☎ 615 5560 ; www.wuergeengel.de ;
Dresdener Strasse 122 ; 🕐 à partir de 19h ; ⊕ Kottbusser Tor ; ✗

Pour une soirée chic, optez pour l'éclairage tamisé et l'intérieur années 1950 – superbe plafond de verre, lustres et tables d'un noir scintillant – de ce bar dont le nom rend hommage au film de Buñuel *L'Ange exterminateur* (1962).

⭐ SORTIR
La vie nocturne se concentre autour de l'Oranienstrasse, de la Kottbusser Tor et de la Schlesische Strasse ainsi, dans une moindre mesure, que dans la Köpenicker Strasse et la Skalitzer Strasse.

⭐ BADESCHIFF *Piscine*
☎ 533 2030 ; www.arena-berlin.de ;
Eichenstrasse 4 ; mai-oct 3 € ; nov-avril 12 € ; 🕐 variables, en général à partir de 8h mai-sept ou oct, 12h-24h nov-avril ;
⊕ Schlesisches Tor

Prenez une vieille péniche, remplissez-la d'eau, amarrez-la sur la rive de la Spree et installez-y un bar pour l'ambiance : vous obtenez une piscine urbaine très tendance, avec sa plage de sable pour se dorer au soleil. Les jours de canicule, arrivez avant midi pour éviter une longue attente. Le soir, venez pour les fêtes, les films, les concerts… ou passer un simple moment convivial. L'hiver, la piscine est couverte, et on peut y profiter d'un délicieux espace détente, avec bar et sauna (réservé aux hommes le lundi).

⭐ CLUB DER VISIONÄRE
Bar et club
☎ 6951 8942 ; www.clubdervisionaere.com ; Am Flutgraben 1 ; gratuit-10 € ; 🕐 à partir de 14h lun-ven, à partir de 12h sam-dim ; 🚇 Schlesisches Tor
Ouvert l'été, cet ancien hangar à bateaux en bordure de canal offre un cadre délicieux pour prendre un verre à n'importe quelle heure du jour ou de la nuit, à l'ombre des saules pleureurs ou sur un ponton. C'est l'un des meilleurs *after* de Berlin (il ne ferme quasiment pas le week-end).

⭐ DOT CLUB
Musique live
☎ 7676 6267 ; www.liveatdot.com ; Falckensteinstrasse 47 ; prix variable ; 🕐 tlj ou presque ; 🚇 Schlesisches Tor

À la fois salle de concert, studio d'enregistrement et restaurant, le Dot propose une programmation avant-gardiste très éclectique ainsi que des soirées et des jam-sessions dans un cadre à mi-chemin du kitsch et du mystique. L'acoustique est excellente.

⭐ LIDO *Musique live*
☎ 6956 6840, billets 6110 1313 ; www.lido-berlin.de ; Cuvrystrasse 7 ; prix variable ; 🚇 Schlesisches Tor
DJ étrangers et groupes à la mode attirent un public amateur de rythmes énergiques et de pogos dans cet ancien cinéma des années 1950 transformé en temple du rock indé et de l'électro-pop.

⭐ SO36
Club et musique live
☎ 6140 1306 ; www.so36.de ; Oranienstrasse 190 ; 3-8 € ; 🕐 presque tous les soirs ; 🚇 Kottbusser Tor
La plupart des gens fréquentant aujourd'hui le "Esso" portaient encore des couches-culottes lorsque les Dead Kennedys et Die Toten Hosen s'y produisirent. L'endroit ne paye pas de mine mais demeure l'épicentre de la scène alternative à Kreuzberg. Le public varie en fonction de la programmation : concert de soutien, soirée lesbigay, marché aux puces nocturne…

Faites le plein de bonnes vibrations au "Esso" (SO36), haut lieu de la culture alternative

⭐ WATERGATE *Club*
☎ 6128 0394 ; www.water-gate.de ;
Falckensteinstrasse 49a ; 6-12 € ;
🕐 à partir de 24h mer, ven-sam ;
🚇 Schlesisches Tor

On ne voit pas la nuit passer dans ce club des bords de la Spree tant l'action est intense derrière les fenêtres panoramiques et sur la terrasse flottante faisant face à l'Oberbaumbrücke et au siège d'Universal Music. Les soirées spéciales et les DJ étrangers de renom font vibrer les deux pistes au son de mix de techno, breakbeat, house et drum'n'bass.

⭐ WILD AT HEART
Musique live
☎ 611 9231 ; www.wildatheartberlin.de ;
Wiener Strasse 20 ; 3-10 € ; 🕐
à partir de 20h ; 🚇 Görlitzer Bahnhof

De furieux concerts de punk, rock, ska et rockabilly ont lieu dans l'unique salle de ce bar branché, baptisé d'après le titre d'un film de David Lynch. De grands groupes en tournée s'y produisent régulièrement, attirant plusieurs fois par semaine un public tatoué. Si vos oreilles ont besoin d'un peu de répit, gagnez le cadre tropical du restaurant voisin.

>KREUZBERG OUEST

L'ouest de Kreuzberg paraît relativement calme et sélect comparé à sa moitié orientale, malgré son passé tout aussi bohème. C'est dans ce secteur, bordé par Mitte au nord et Schöneberg à l'ouest que se trouvent les principaux sites du quartier présentant un intérêt historique : Checkpoint Charlie, le Musée juif et l'aéroport de Tempelhof, fermé depuis 2008, après avoir conquis ses lettres de noblesse lors du pont aérien de 1948 (voir l'encadré p. 114).

Rues proprettes, bâtiments rénovés, restaurants raffinés et atmosphère de village : les signes de l'irrésistible embourgeoisement que connaît le quartier depuis dix ans ne manquent pas. Bordés de cafés sympas et de boutiques indé, le Mehringdamm et, surtout, la Bergmannstrasse sont propices à la flânerie. La seconde débouche sur la Marheinekeplatz, où jeunes branchés et mères de familles bien de leur temps viennent faire le plein de produits bio au marché couvert récemment réhabilité.

Dominée par un monument célébrant la victoire prussienne contre Napoléon en 1815, la colline qui a donné son nom au quartier (Kreuzberg signifie "colline de la croix") forme aujourd'hui un vaste parc, très agréable l'été, avec ses pelouses – parfaites pour prendre le soleil –, son *Biergarten* et sa cascade artificielle. Les jolies berges du Landwehrkanal, qui relie l'est et l'ouest de Kreuzberg, invitent elles aussi à la balade.

KREUZBERG OUEST

◉ VOIR

◉ BERLINISCHE GALERIE

☎ 7890 2600 ; www.berlinischegalerie.de ; Alte Jakobstrasse 124-128 ; tarif plein/ réduit/moins de 18 ans 6/3 €/gratuit ; ◷ 10h-18h mer-lun ; Ⓤ Kochstrasse ; ♿

Cette ancienne verrerie proche du Musée juif abrite une belle collection d'œuvres d'artistes berlinois de la fin du XIXᵉ à nos jours – Sécession berlinoise, dadaïsme, mouvement Fluxus, expressionnisme, art nazi et art contemporain – présentées sur deux niveaux reliés par une paire d'escaliers flottants entrecroisés.

◉ CHECKPOINT CHARLIE

angle Friedrichstrasse et Zimmerstrasse ; Ⓤ Kochstrasse

Principal point de passage entre Berlin-Ouest et Berlin-Est pour les Alliés occidentaux, les étrangers et les diplomates entre 1961 et 1990, ce symbole de la guerre froide est hélas devenu un piège à touristes, avec ses comédiens en uniforme posant devant une fausse guérite pour quelques euros. Reste l'exposition temporaire en plein air sur les années de la guerre froide : les panneaux, très instructifs, jalonnent la Friedrichstrasse, la Zimmerstrasse et la Schützenstrasse (gratuit).

◉ MUSÉE ALLEMAND DES TECHNIQUES

Deutsches Technikmuseum ; ☎ 902 540 ; www.dtmb.de ; Trebbiner Strasse 9 ; tarif plein/réduit 4,50/2,50 €, moins de 18 ans gratuit après 15h ; ◷ 9h-17h30 mar-ven, 10h-18h sam-dim ; Ⓤ Möckernbrücke ; ♿ 🚻

La réplique du premier ordinateur du monde, le grand hall des locomotives anciennes et les

LE PONT AÉRIEN DE BERLIN

Ce chapitre glorieux de l'histoire berlinoise de l'après-guerre a marqué le triomphe de la détermination. Le 24 juin 1948, cherchant à étendre leur contrôle sur la ville entière, les Soviétiques coupèrent les routes et les voies ferrées menant à Berlin afin de contraindre les Alliés occidentaux à abandonner leurs secteurs. Les armées américaine et britannique répondirent en mettant en place un pont aérien qui, 24h/24 et 7j/7 durant les onze mois suivants, permit d'acheminer vers la partie ouest de la ville vivres, carburant et autres produits de première nécessité. Lorsque les Soviétiques firent machine arrière, les avions avaient effectué 278 000 vols et parcouru une distance équivalente à 250 allers-retours jusqu'à la Lune, pour livrer 2,5 millions de tonnes de marchandises. Le **mémorial du Pont aérien** (Luftbrückendenkmal), devant l'aéroport de Tempelhof, rend hommage à ceux qui perdirent la vie en menant à bien cette mission.

Checkpoint Charlie, où chars américains et soviétiques se firent face peu après l'édification du Mur

différentes salles consacrées à l'aviation et à la navigation comptent parmi les fleurons de cet immense temple dédié à la technologie. Le bâtiment adjacent (accès par le n° 26 de la Möckernstrasse, entrée comprise dans le billet), le **Spectrum**, propose plus de 200 expériences interactives. Les enfants adorent !

☉ MUSÉE DU MUR
**Haus am Checkpoint Charlie
(Mauermuseum) ; ☎ 253 7250 ;
www.mauermuseum.de ; Friedrichstrasse
43-45 ; tarif plein/réduit 12,50/9,50 € ;
🕓 9h-22h ; Ⓤ Kochstrasse ;
partiellement** ♿

Ce musée privé dresse – de manière un peu désordonnée – une chronique intéressante des années de la guerre froide, en mettant l'accent sur les horreurs liées à l'histoire du Mur. On reste captivé devant les trésors d'ingéniosité déployés par les citoyens de la RDA pour passer à l'Ouest : tunnel, montgolfière, voiture à compartiment secret, et même un mini sous-marin !

☉ MUSÉE JUIF
**Jüdisches Museum ; ☎ 2599 3300 ;
www.juedisches-museum-berlin.de ;
Lindenstrasse 9-14 ; tarif plein/réduit/**

famille 5/2,50/10 € ; ⏱ **10h-22h lun, 10h-20h mar-dim ;** 🚇 **Hallesches Tor ;** ♿ Aménagé dans un édifice remarquable conçu par Daniel Libeskind, ce vaste musée retrace l'histoire de la communauté juive allemande et détaille son apport dans les domaines artistique, culturel et scientifique, entre autres. Voir aussi p. 17.

◉ **MARTIN-GROPIUS-BAU**
☎ **254 860 ; www.gropiusbau.de ; Niederkirchner Strasse 7 ; prix variable ;** ⏱ **variables ;** 🚇 🚉 **Potsdamer Platz ;** ♿ Cet édifice de style Renaissance italienne dessiné par le grand-oncle de Walter Gropius (le fondateur du Bauhaus) accueille des expositions temporaires de premier ordre. Il jouxte un petit tronçon du Mur et fait face à l'Abgeordnetenhaus, siège du parlement du Land de Berlin.

◉ **MUSÉE DE L'HOMOSEXUALITÉ**
Schwules Museum ; ☎ **6959 9050 ; www.schwulesmuseum.de ; Mehringdamm 61 ; tarif plein/réduit 5/3 € ;** ⏱ **14h-18h mer-ven et dim-lun, 14h-19h sam ;** 🚇 **Mehringdamm** Un musée illustrant l'histoire du Berlin gay et lesbien, un centre de recherches et un pôle communautaire, regroupés en un seul lieu à but non lucratif. Les expositions temporaires sont

souvent consacrées à des figures emblématiques, telles que Greta Garbo ou Oscar Wilde. Entrée par la cour derrière le café Melitta Sundström.

◉ **TOPOGRAPHIE DE LA TERREUR**
Topographie des Terrors ; ☎ **2548 6703 ; www.topographie.de ; Niederkirchner Strasse 8 ; entrée libre ;** ⏱ **10h-20h mai-sept, jusqu'à la tombée du jour oct-avril ;** 🚇 🚉 **Potsdamer Platz** Le quartier général de la Gestapo et de la SS et d'autres organes de l'Allemagne nazie occupaient un immeuble de la Niederkirchner Strasse. Depuis 1997, une poignante exposition en plein air évoque le long de cette rue les horreurs perpétrées par ces sinistres institutions. L'ensemble, enrichi de nouveaux documents, devrait emménager en 2010 dans un centre construit sur place.

🏠 SHOPPING
Friperies, disquaires, magasins d'accessoires pour la maison et boutiques en tous genres jalonnent le Mehringdamm, la Bergmannstrasse et la Zossener Strasse.

🛍 **FASTER, PUSSYCAT !** *Mode*
☎ **6950 6600 ; Mehringdamm 57 ;** ⏱ **11h-20h lun-ven, 11h-19h sam ;** 🚇 **Mehringdamm**

Baptisé du nom d'un célèbre film de Russ Meyer (1965) mettant en scène des strip-teaseuses déjantées, ce magasin de mode propose des articles qui ne manquent effectivement pas de caractère. On y trouve aussi les vêtements (et accessoires) de marques de *streetwear* branchées telle que Skunkfunk, Gsus, Pace et Alprausch.

⌂ HERRLICH
Cadeaux
☎ 6784 5395 ; www.herrlich-online.de ; Bergmannstrasse 2 ; ☼ 10h-20h lun-sam ; Ⓖ Gneisenaustrasse

Vous cherchez pour l'homme de votre vie un cadeau plus original qu'une cravate ou une paire de chaussettes ? Les étagères de ce chouette magasin débordent d'objets sélectionnés avec soin, du réveil rétro à la machine à expresso futuriste, en passant par la canne dissimulant une flasque à whisky.

⌂ SAMEHEADS *Mode*
☎ 6950 9684 ; www.myspace.com/ sameheads ; Nostizstrasse 11 ; ☼ 12h-20h lun-sam ; Ⓖ Gneisenaustrasse
Mode et musique alternatives sont mises à l'honneur dans

Space Hall : le paradis des fans de musique électro

cette boutique créée par trois frères venus de Grande-Bretagne – Nathan, Leo et Harry, la vingtaine tous les trois –, qui sert de vitrine à une trentaine de stylistes du monde entier installés à Berlin. Sur place, renseignez-vous sur la prochaine soirée underground.

🎧 SPACE HALL *Musique*

☎ 694 7664 ; www.space-hall.de ; **Zossener Strasse 33 ;** ⌚ **11h-20h lun-jeu, 11h-22h ven-sam ;** 🚇 **Gneisenaustrasse**
Le paradis des DJ et de tous les fans d'électro : sur 4 niveaux, des centaines de CD et de vinyles couvrant tous les genres, de l'acide à la techno en passant par le drum'n'bass, la néotrance, le dubstep et bien d'autres encore. Une dizaine de lecteurs sont à disposition pour la pré-écoute.

🍴 SE RESTAURER

Vous trouverez de nombreux restaurants tout à fait corrects le long du Mehringdamm et de la Bergmannstrasse, ainsi qu'autour de la Marheinekeplatz.

🍴 BIO BUFFET
Fast food bio €

☎ 616 71 458 ; **Marheinekeplatz 15 ;** ⌚ **8h-20h lun-ven, 8h-18h sam ;** 🚇 **Gneisenaustr**
Ce fast-food situé à l'intérieur du marché couvert de la Marheinekeplatz est doublé d'une

boucherie bio. Rien d'étonnant à ce que les hamburgers y soient aussi savoureux !

🍴 CURRY 36 *Allemand* €

☎ 251 7368 ; **Mehringdamm 36 ;** ⌚ **9h-4h lun-sam, 11h-3h dim ;** 🚇 **Mehringdamm**
La longue file d'attente à toute heure du jour et de la nuit en témoigne : on sert ici l'une des meilleures *Currywürste* de la ville.

🍴 FOODORAMA
International €€

☎ 6900 1100 ; www.foodorama.de ; **Bergmannstrasse 94 ;** ⌚ **10h-23h ;** 🚇 **Mehringdamm**
Cet établissement aux allures de cafétéria de lycée soignée est en fait le premier restaurant allemand certifié "sans impact sur l'environnement". Il décline à la mode bio des spécialités d'ici (*Currywurst* et salade de pommes de terre notamment) et d'ailleurs (escalope viennoise, yakitoris…). La qualité est variable, mais au moins aurez-vous la conscience tranquille – si vous ne commandez pas l'eau venue de Norvège ou d'Écosse.

🍴 SEEROSE
Végétarien €

☎ 6981 5927 ; www.seerose-berlin.de ; **Mehringdamm 47 ;** ⌚ **8h-24h lun-sam, 12h-22h dim ;** 🚇 **Mehringdamm**

De généreuses portions de lasagnes aux épinards, de tomates farcies et autres spécialités végétariennes. La petite assiette (4 € pour 2 plats chauds et des crudités) suffit à se rassaser. À déguster accompagnée d'un jus orange-carotte.

TOMASA
International €€

☎ 8100 9885 ; www.tomasa.de ; Kreuzbergstrasse 62 ; ⌚ 9h-1h dim-jeu, 9h-2h ven-sam ;
Ⓜ Mehringdamm

L'établissement le plus récent d'une minichaîne de restauration bien connue à Berlin, aménagé dans une charmante villa du XIXᵉ siècle. On se perd un peu dans la carte, interminable. Qu'importe : que vous veniez pour le petit-déjeuner, les tapas, les *Flammkuchen* ou les viandes, vous ne serez pas déçu. Plat du jour à 5 €.

🍸 OÙ PRENDRE UN VERRE

🍸 GOLGATHA
Biergarten

☎ 785 2453 ; www.golgatha-berlin.de ; Dudenstrasse 48-64, Viktoriapark ; ⌚ 10h-6h avril-sept ;
Ⓢ Ⓡ Yorckstrasse

Le pèlerinage jusqu'à ce *Biergarten* du Viktoriapark est un véritable rituel estival. Installez-vous, votre chope à la main, sur l'une des chaises longues en bas, ou bien montez sur la terrasse pour profiter des derniers rayons du soleil et attendre le DJ, qui entre en scène à 22h. Accès le plus simple : par la Katzbachstrasse, à l'angle de la Monumentenstrasse, puis première à droite.

🍸 HAIFISCHBAR *Bar*

☎ 691 1352 ; www.haifischbar-berlin.de ; Arndtstrasse 25 ; ⌚ à partir de 19h ;
Ⓢ Ⓡ Yorckstrasse

SEX AND THE CITY

Pour une nuit de plaisirs, prenez le chemin de l'**Insomnia** (☎ 0177 233 3878 ; www.insomnia-berlin.de ; Alt-Tempelhof 17-19 ; prix variable ; ⌚ mar-dim ; Ⓜ Alt-Tempelhof), à Tempelhof (sud de Schöneberg). Dans cette ancienne salle de bal du XIXᵉ siècle transformée en un luxueux temple consacré au libertinage, chacun donne libre cours à ses passions sous l'autorité de Dominique, reine du fétichisme (voir notre interview p. 120). Au programme : piste de danse, films X sur écran géant, shows divers, bain à remous, salle de bondage et chaise gynécologique, entre autres. La soirée Circus Bizarre du samedi est parfaite pour les novices ; celle du dimanche est réservée aux couples. Les soirées à thème en semaine (sur pré-inscription généralement) s'adressent à une clientèle aguerrie.

Dominique

Dominatrice, performeuse et propriétaire du club érotique l'Insomnia (voir l'encadré p. 119)

Comment as-tu démarré dans le milieu de l'érotisme ? J'ai toujours été intéressée par le sexe. Ma mère était une dominatrice et j'ai ouvert mon propre studio sado-maso avant d'avoir 18 ans. Par la suite, j'ai organisé des séminaires SM, des soirées au KitKatClub et des spectacles érotiques avec Double Trouble (www.doubletrouble-berlin.de). **Qu'est-ce qui fait la spécificité de l'Insomnia ?** C'est un établissement élégant et sûr qui réunit noctambules, fêtards, échangistes, fétichistes et amateurs de SM. **Un conseil à ceux qui viennent pour la première fois ?** Se montrer ouvert et sympa, et communiquer. On peut regarder, mais pas question de se jeter maladroitement sur un inconnu. **Qu'est-ce que tu aimes vraiment, dans ton métier ?** J'adore quand les gens me disent que j'ai changé leur vie, en mieux. **Que fais-tu pour te détendre ?** Pas la fête, ça c'est sûr ! J'emmène mon fils faire du vélo en forêt, je vois des amis ou je lis un bon bouquin.

Vous repérerez ce bar sans prétention aux deux requins dominant la porte d'entrée. À l'intérieur, le barman manie le shaker avec dextérité, des tapas sont servies dans la salle du fond et la déco des toilettes est kitschissime.

 SOLAR *Bar*
☎ 0163 765 2700 ; www.solar-berlin.de ; Stresemannstrasse 76 ; ⏱ 18h-2h dim-jeu, 18h-4h ven-sam ; 🚇 Anhalter Bahnhof

L'accès est sélectif, le service lent et les cocktails médiocres, mais la vue saisissante depuis le 17e étage du gratte-ciel mérite à elle seule la montée vertigineuse dans l'ascenseur de verre extérieur (entrée en retrait de la rue, dans un building affreux à l'arrière du magasin d'accessoires auto Pit Stop). Évitez le restaurant, aussi cher que médiocre.

⭐ SORTIR
⭐ LIQUIDROM *Piscine*
☎ 258 007 820 ; www.liquidrom-berlin.de ; Möckernstrasse 10 ; 2 h/4 h/journée 17,50/20,50/22,50 € ; ⏱ 10h-24h dim-jeu, 10h-1h ven-sam ; 🚇 Anhalter Bahnhof

Oubliez vos soucis dans ce spa à l'élégant décor minimaliste, parfait antidote au cafard des jours de pluie. Au côté des traditionnels saunas, bassins et espaces de détente, la sombre salle voûtée où l'on se laisse flotter dans une piscine d'eau salée, sous des éclairages psychédéliques, au son de musiques apaisantes, est un pur délice.

⭐ SCHWUZ *Club gay*
☎ 629 0880 ; www.schwuz.de ; Mehringdamm 61 ; 3-8 € ; ⏱ ven-sam ; 🚇 Mehringdamm

Un lieu idéal pour faire ses premiers pas sur la scène homosexuelle berlinoise. Prenez des forces au Melitta Sundström, puis descendez pour vous déhancher sur la piste et faire connaissance avec les gens d'ici, très ouverts. La programmation éclectique – tubes rétro, rock classique, rock alternatif… – attire une clientèle variée. Soirées L-Tunes le quatrième vendredi du mois, réservée aux femmes.

⭐ YORCKSCHLÖSSCHEN *Musique live*
☎ 215 8070 ; www.yorckschloesschen.de ; Yorckstrasse 15 ; ⏱ 10h-3h ; 🚇 Mehringdamm ; ⊠ 🛜

Ce bar débordant de babioles attire depuis plus d'un siècle une foule hétéroclite d'amateurs de jazz et de blues. Concerts le mercredi et le week-end (jeudi et vendredi également en hiver), restauration jusqu'à 1h, billard et jardin (ouvert l'été).

>FRIEDRICHSHAIN

Autrefois situé à Berlin-Est, Friedrichshain est un quartier à l'identité changeante. À bien des égards, c'est l'exact contraire de Mitte : encore en devenir, il vibre d'une joyeuse énergie et réserve toutes sortes de surprises. L'atmosphère punk et underground des débuts est encore palpable dans les avant-postes industriels délabrés de la Revaler Strasse et dans les rues aux murs couverts de graffitis d'Ostkreuz. Tout près de là, le secteur de la Simon-Dach-Strasse regorge de bars où de jeunes Berlinois se retrouvent pour boire, danser et flirter avec exubérance.

La Karl-Marx-Allee est de son côté jalonnée de bars rétro rappelant l'époque de la RDA, où des trentenaires viennent siroter des Martini avant de partir pour le Berghain/Panoramabar, l'un des temples berlinois de la techno. À deux pas de là se dresse l'O2 World, un palais des sports ultramoderne, qui préfigure pour certains l'inéluctable embourgeoisement du quartier.

Friedrichshain ne compte guère de sites touristiques, si ce n'est l'East Side Gallery (le plus long vestige du Mur), et la Karl-Marx-Allee, summum de l'ostentation stalinienne. Certains secteurs sont particulièrement plaisants, par exemple le Volkspark Friedrichshain, un parc luxuriant doté d'agréables sentiers, de courts de tennis, d'un *half-pipe* pour les skateboarders et d'un cinéma en plein air. Aux beaux jours, ses pelouses sont idéales pour profiter du soleil ou pique-niquer.

FRIEDRICHSHAIN

🅥 VOIR
Café Sybille 1 C1
East Side Gallery 2 B3
Sammlung Haubrok 3 A1

🏠 SHOPPING
Marché aux antiquités
  d'Ostbahnhof 4 B2
Marché aux puces de la
  Boxhagener Platz 5 E2
Mondos Arts 6 F1

🍴 SE RESTAURER
Meyman 7 E2
Miseria & Nobiltà 8 E2
Papaya 9 E2
Schneeweiss 10 E3
Schwarzer Hahn 11 F3

🍸 PRENDRE UN VERRE
CSA 12 C1
Eastern Comfort
  Hostel Boat 13 C4
Habermeyer 14 E3

Hops & Barley 15 E2
Kaufbar 16 E3
Kptn A. Müller 17 E3
Strandgut Berlin 18 C3

⭐ SORTIR
Berghain/
  Panoramabar 19 C2
Cassiopeia 20 E3
Maria am Ostbahnhof ..21 B2
Monster Ronson's
  Ichiban Karaoke 22 D4
Radialsystem V 23 B2
Rosi's 24 F3

400 m

Scheinerstr

Frankfurter Allee

Proskauer Str

6

Vers la station de l'U-Bahn
Samariterstr (400 m),
le Berlinomat (500 m)
et le musée de la Stasi
(2 km)

Frankfurter Allee

Gärtnerstr

Krossener Str

Wühlischstr

Niederbarnimstr

5
Boxhagener Platz

15

14 11
Seumestr
16

Rigaer Str

Frankfurter Tor

Boxhagener Str

Frankfurter Tor

Grünberger Str

Simon-Dach-Str

Kopernikusstr

17

Stadtnaturr
9
10

Vers la Stasi (5 km)

Warschauer Str

6

Revaler Str

20

Seumestr

Modehnstr

Corinthstr

Rudolfplatz

Kadiner Str

Weidenweg

Weberwiese

Karl-Marx-Allee

Kommune

Gubener Str

Helsingforser Str

Warschauer
Platz

Warschauer Platz

Rudolfstr

Rotherstr

Ehrenbergstr

Stralauer Allee

Oberbaumbrücke

Cornelisplatz

Helsingforser Str

8

Marchlewskistr

Rüdersdorfer Str

19

Straße der Pariser Kommune

Am Wriezener Bahnhof

Franz-Mehring-Platz

12

Ludwig-Wullenweber-Str

Helen-Ernst-Str

Tamara-Danz-Str

02 World

Teutel

Am Oberbaum

East Side Gallery

13

Strausberger Platz

C

Rüdersdorfer Str

Koppenstr

Andreasstr

Ostbahnhof

Am Ostbahnhof

4

Stralauer Platz

Stralauer Platz

Mühlenstr

18

Embarcadère
des croisières

Köpenicker Str

Schlesisches Tor

Zeughofstr

Krautstr

Schillingbrücke

21

3

Spree

Voir carte
Kreuzberg Est et Kreuzkölln p. 101

Vers le Volkspark
Friedrichshain
(700 m)

Lichtenberger Str

Holzmarktstr

23

Köpenicker Str

Schillingbrücke

Melchiorstr

Engeldamm

Bethaniendamm

Adalbertstr

Manteuffelstr

Muskauer Str

Pücklerstr

Wrangelstr

Eisenbahnstr

Naunynstr

Heinrich Platz

1

2

3

4

VOIR

EAST SIDE GALLERY

www.eastsidegallery.com ;
Mühlenstrasse ; 24h/24 ;
Warschauer Strasse ;
Ostbahnhof

Le tronçon le plus long (1,3 km)
du Mur est aussi le mieux préservé
et le plus intéressant. Il s'étend
entre l'Oberbaumbrücke et
l'Ostbahnhof, parallèlement
à la Spree. Les grafs dont il fut
recouvert dès 1990 en font une
véritable galerie d'art en plein
air. Ils ont été complètement
restaurés en 2009 à l'occasion
du 20e anniversaire de la chute
du Mur. Voir aussi p. 15.

KARL-MARX-ALLEE

Entre Alexanderplatz et Frankfurter Tor ;
Strausberger Platz, Weberwiese ou
Frankfurter Tor

Cet immense boulevard construit
entre 1952 et 1960 est l'un des
vestiges les plus impressionnants
de l'ex-Berlin-Est. D'une largeur
de 90 m, il court sur 2,3 km entre
l'Alexanderplatz et la porte de
Francfort. Bordé de logements
modernes où vivaient des milliers
de personnes, il fut pour la RDA
– qui y organisait ses imposants

Un dimanche passé à chiner au marché aux puces de la Boxhagener Platz

défilés militaires – une source de fierté nationale considérable. L'exposition du **Café Sybille**, au n°72, revient sur l'histoire de la "KMA".

🅲 VOLKSPARK FRIEDRICHSHAIN
Am Friedrichshain et Friedenstrasse ;
🚌 **200**

Le plus ancien parc public de Berlin (1840) est un véritable havre de paix. Entre ses vastes pelouses se cachent des aires de jeu, des courts de tennis, un *half-pipe* (gratuit) pour les skateurs, la fontaine des Contes de fées (*Märchenbrunnen*, rendez-vous des gays en soirée) et divers monuments socialistes. Ses deux collines sont constituées de décombres datant de la guerre. L'été, des projections de films en plein air attirent une foule nombreuse.

🅷 SHOPPING
Sans être un paradis du shopping, Friedrichshain recèle d'intéressantes boutiques alternatives et de créateurs indépendants. Ne manquez pas de flâner dans les ruelles des environs de la Boxhagener Platz.

🅷 OSTBAHNHOF
Marché aux antiquités
Ostbahnhof, Erich-Steinfurth-Strasse 1 ;
🕙 **9h-17h dim ;** 🚆 **Ostbahnhof**

Chinez antiquités et objets anciens (pièces de monnaie et billets de banque, vestiges de la guerre froide, disques pour gramophone, livres, timbres et bijoux) le long des allées situées à la sortie de la station de S-Bahn (côté nord). Des stands de nourriture permettent de faire face aux petits creux.

🅷 BERLINOMAT
Mode et accessoires
☎ **4208 1445 ; www.berlinomat.com ;**
Frankfurter Allee 89 ; 🕙 **11h-20h lun-sam ;** 🚇 🚆 **Frankfurter Allee**

Ce mini-centre commercial expose des articles (mode, accessoires, mobilier et bijoux) conçus par des créateurs berlinois. Sur fond de son électro, craquez pour un jean Hasipop, les célèbres baskets est-allemandes Zeha, une sacoche MilkBerlin ou d'autres articles introuvables une fois de retour chez vous.

🅷 BOXHAGENER PLATZ
Marché aux puces
Boxhagener Platz ; 🕙 **10h-18h dim ;** 🚇 🚆 **Warschauer Strasse ;**
🚇 **Frankfurter Tor**

Dans un cadre verdoyant, ce sympathique marché aux puces attire aussi bien des vendeurs professionnels que des amateurs venus se séparer de quelques bricoles. Après avoir passé les

RENCONTRE AVEC LA STASI

Quiconque s'intéresse à la RDA, et en particulier à la Stasi, se doit de faire un détour par les deux sites majeurs évoquant cette sinistre institution. L'ancien siège du ministère de la Sécurité d'État abrite aujourd'hui le **musée de la Stasi** (☎ 553 6854 ; www.stasimuseum. de ; Maison 1, Ruschestrasse 103 ; tarif plein/réduit 3,50/3 € ; 🕙 11h-18h lun-ven, 14h-18h sam et dim ; ⊖ Magdalenenstrasse). D'ingénieux dispositifs de surveillance (dissimulés dans des arrosoirs, des rochers et même des cravates) y sont exposés. Vous y verrez aussi le bureau, impeccablement rangé, du chef de la Stasi, Erich Mielke. Depuis la station de U-Bahn, suivez la Ruschestrasse vers le nord sur une centaine de mètres, puis tournez à droite : le bâtiment se situe 50 m plus loin, de l'autre côté du parking.

La **prison de la Stasi** (☎ 9860 8230 ; www.stiftung-hsh.de ; Genslerstrasse 66, Hohenschönhausen ; visites guidées tarif plein/réduit 4/2 €, gratuit lun ; 🕙 visites 11h et 13h lun-ven, également 15h mars-déc, toutes les heures 10h-16h sam et dim ; 🚋 M5) a de son côté été transformée en mémorial. Les visites, parfois guidées par d'anciens détenus, révèlent toute l'étendue de la terreur et des cruautés exercées sur des milliers de personnes, dont beaucoup n'avaient rien à se reprocher. Si vous avez vu le film *La Vie des autres*, récompensé par un Oscar, vous reconnaîtrez peut-être certains des lieux par lesquels vous passerez. Prenez le tramway M5 entre les stations Alexanderplatz et Freienwalder Strasse, puis descendez la rue du même nom : la prison est à 10 minutes de marche.

stands en revue, prenez votre brunch dominical dans l'un des nombreux cafés du quartier.

🏠 MONDOS ARTS *Ostalgie*
☎ 4202 0225 ; www.mondosarts.de ; Schreinerstrasse 6 ; 🕙 10h-19h lun-ven, 11h-16h sam ; ⊖ Samariterstrasse
Cette boutique insolite qui tire son nom d'une marque de préservatifs vend des articles estampillés ex-RDA. Il est amusant d'y faire un tour même si l'on n'a pas grandi en regardant *Sandmännchen* (*Le Marchand de sable*) à la télévision, en écoutant le rock des Puhdys ou en buvant de la bière Octobre Rouge.

🍴 SE RESTAURER

Si vous avez le palais délicat, vous risquez de ne rien trouver à votre goût à Friedrichshain. En revanche, si vous êtes accro aux brunchs du dimanche à leurs buffets à volonté, vous dénicherez certainement votre bonheur du coté de la Boxhagener Platz.

🍴 MEYMAN *Moyen-oriental* €
☎ 0163 806 1363 ; Krossener Strasse 11a ; 🕙 12h-2h ;
⊖ 🚋 Warschauer Strasse ;
⊖ Frankfurter Tor ; ✂
On se régale ici de falafels, de chawarmas (pitas garnies de

viande émincée, de laitue, de tomates et de sauce à l'ail), de blé concassé et autres délices moyen-orientaux. Le lieu est bien connu des noctambules qui viennent y reprendre des forces entre deux bars.

MISERIA & NOBILTÀ
Italien €€

☎ 2904 9249 ; Kopernikusstrasse 16 ;
🕐 17h30-24h mar-jeu et dim, 17h30-1h ven-sam ; 🚇 🚈 Warschauer Strasse
Lorsqu'Eduardo Scarpetta écrivit sa comédie *Misère et noblesse* en 1888, il ignorait qu'elle inspirerait un jour cette trattoria très prisée. Au menu : copieux plats du Sud de l'Italie, habilement cuisinés et différents chaque jour.

PAPAYA *Thaïlandais* €

☎ 2977 1231 ; Krossener Strasse 11 ;
🕐 12h-24h ; 🚇 🚈 Warschauer Strasse ; 🚇 Frankfurter Tor ; ✂
La lumière est un peu trop vive et la déco sans attrait, mais les plats sortant de la cuisine ouverte – soupes au *tom ka, pad thaï* et poulet au basilic – sont joliment présentés. L'assaisonnement étant adapté aux palais allemands, n'hésitez pas à préciser au besoin que vous aimez les plats relevés.

SCHNEEWEISS *Allemand* €€

☎ 2904 9704 ; www.schneeweiss-berlin.de ;
Simplonstrasse 16 ; 🕐 10h-1h ;
🚇 🚈 Warschauer Strasse

Dans le paysage grunge de Friedrichshain, "Blanche Neige" et son élégant décor alpin – mention spéciale au lustre "de glace" – étincellent d'un certain glamour new-yorkais. La cuisine est à l'avenant, et revisite avec modernité des classiques du Sud de l'Allemagne et d'Autriche.

SCHWARZER HAHN
Allemand €€

☎ 2197 0371 ; Seumestrasse 23 ;
🕐 10h-22h lun-sam ; 🚈 Ostkreuz ;
🚇 Warschauer Strasse ; ✂
Le petit menu (joliment présenté dans un cadre photo) de cet agréable bistrot de *slow food* propose de vieilles recettes adaptées au goût du jour. Service impeccable. Le propriétaire, très sympathique, apprécie le bon vin, et vous fera volontiers goûter à quelques bouteilles pour vous aider à faire votre choix.

Y PRENDRE UN VERRE

Si vous aimez les bars bon marché et la musique à plein volume, rendez-vous dans la Simon-Dach-Strasse. Si vous préférez les adresses plus élégantes, optez pour les petites rues adjacentes et la Karl-Marx-Allee.

LE PROJET MEDIASPREE

Un bouleversement s'annonce sur les rives de la Spree. Une petite armée de promoteurs souhaite en effet construire des bureaux, des immeubles résidentiels, des hôtels et d'autres infrastructures commerciales le long des 3,6 km de terrain s'étendant au sud du pont Jannowitz. Cet investissement, d'un montant de 3 à 5 milliards d'euros, devrait créer entre 20 000 et 50 000 emplois. Certains avancent qu'une telle opération serait salutaire pour Berlin, ville étranglée par une dette de 60 milliards d'euros et touchée par un fort taux de chômage. D'autres, comme les 30 000 Berlinois du district de Kreuzberg-Friedrichshain, dont fait partie le terrain en question, ont exprimé leur opposition à ce projet lors d'un référendum en 2008. Ils redoutent une construction anarchique, des augmentations de loyer, la restriction de l'accès du public aux rives de la Spree et la disparition de clubs prisés comme le **Maria am Ostbahnhof** (p. 131). À l'heure où nous écrivons, la situation est au point mort, mais il semble bien que les jours soient comptés avant que les rives de la Spree ne connaissent une métamorphose spectaculaire.

Scène insolite : une plage, au bord de la Spree, adossée à un vestige du mur de Berlin

CSA *Bar*

☎ 2904 4741 ; www.csa-bar.de ;
Karl-Marx-Allee 96 ; ⏰ à partir de
20h mai-oct, à partir de 19h nov-avr ;
Ⓜ Weberwiese

Le bar le plus chic de
Friedrichshain a élu domicile
dans les bureaux de l'ancienne
compagnie aérienne
tchécoslovaque, dont il a gardé
une atmosphère rétro très
"bloc de l'Est" qui ne manque
pas d'autodérision. Son cadre
épuré, son éclairage tamisé
et ses cocktails fortement
alcoolisés attirent une clientèle de
trentenaires. Notez les cendriers
intégrés dans les tables.

HABERMEYER *Bar*

☎ 2977 1887 ; www.habermeyer-bar.de ;
Gärtnerstrasse 6 ; ⏰ à partir de 19h ;
Ⓜ Ⓢ Warschauer Strasse

Inutile de venir à l'Habermeyer
pour se montrer : il y fait trop
sombre. L'endroit est apprécié
par une clientèle branchée
fuyant la Simon-Dach-Strasse
comme la peste. Mobilier d'avant
la réunification, flipper, déco
hétéroclite et DJ presque tous
les soirs.

HOPS & BARLEY *Pub*

☎ 2936 7534 ; www.hopsandbarley-
berlin.de ; Wühlischstrasse 38 ; ⏰
à partir de 17h dim-ven, à partir de 15h
sam ; Ⓜ Ⓢ Warschauer Strasse

Les conversations vont bon
train dans cette microbrasserie
conviviale, installée dans une
ancienne boucherie. On y produit
des bières légères ou maltées,
ainsi que du cidre. Prenez
place à une table commune en
compagnie des habitués venus
boire une pinte après le boulot
et grignoter du *Treberbrot* (pain à
l'orge fermentée).

KAUFBAR *Café et bar*

☎ 2877 8825 ; www.kaufbar-berlin.de ;
Gärtnerstrasse 4 ; ⏰ 10h-1h ;
Ⓜ Ⓢ Warschauer Strasse ; ✕

Comme l'indique son nom, dans
cet agréable café, tout est *kaufbar*
(à vendre) : le canapé sur lequel on
s'assied, la tasse dans laquelle on
boit, les vases... Petit déj (jusqu'à
17h), café, gâteaux, boissons et
en-cas légers attirent une clientèle
d'étudiants, de jeunes mamans et
d'artistes. Joli jardin également.

KPTN A. MÜLLER *Pub*

☎ 5473 2257 ; www.kptn.de ; Simon-
Dach-Strasse 32 ; ⏰ à partir de 18h ;
Ⓜ Ⓢ Warschauer Strasse ; ✕ 📶

L'ambiance sans prétention
du "Capitaine" tranche avec
celle de tous les bars à cocktails
standardisés que l'on trouve dans
cette rue. Boissons bon marché
(2 € la pinte de bière ou le verre
de vin de 20 cl) et baby-foot et
connexion Wi-Fi gratuits.

▼ STRANDGUT BERLIN
Bar de plage

☎ 7008 5566 ; www.strandgut-berlin.
com ; Mühlenstrasse 61-63 ; ⏱ à partir
de 10h ; 🚇 Ostbahnhof ; 📶

Le plus chic des bars de plage de
l'East Side Gallery sert des bières
fraîches et des cocktails corsés
à une clientèle de trentenaires
(et plus). Ambiance assurée par
la crème des DJ (André Galluzzi
a fêté son anniversaire ici en 2008).

⭐ SORTIR

⭐ BERGHAIN/
PANORAMABAR *Club*

www.berghain.de ; Am Wriezener
Bahnhof ; 14 € ; ⏱ ven et sam ;
🚇 Ostbahnhof

On dit qu'il s'agit du meilleur
club du monde... Seuls de
grands DJ tels André Galluzzi et
Ricardo Villalobos mixent dans
cet établissement à l'ambiance
hédoniste installé dans une

ancienne centrale électrique
labyrinthique. L'étage (le
Panoramabar, ou "Pannebar") est
consacré à la house ; la grande
salle d'usine située en-dessous
(Berghain), appréciée de la
clientèle gay, rétentit de beats
techno. Entrée très sélective,
appareils photo interdits. L'été, en
journée, un *Biergarten* invite
à la détente.

⭐ CASSIOPEIA *Club*

☎ 2936 2966 ; www.cassiopeia-berlin.de ;
Revaler Strasse 99 ; 4-6 € ; ⏱ variables,
mer-sam ; 🚇 Warschauer Strasse

Cet ancien atelier de réparation de
wagons de train a été reconverti
en un vaste terrain de jeu urbain
comportant une piste de skate,
un *Biergarten*, une tour d'escalade
et un club aménagé sur deux
niveaux. La clientèle est aussi
éclectique que la musique (hip-
hop vintage, hard-funk, reggae,
punk, etc.).

LE BATEAU DE BABEL BERLINOIS

Vous cherchez une façon simple et amusante de rencontrer des Berlinois ? Rendez-vous le
mercredi à partir de 19h dans le lounge rétro de l'**Eastern Comfort Hostel Boat** (☎ 6676
3806 ; Mühlenstrasse 73-77; 🚇 Warschauer Strasse), un hôtel aménagé dans un
bateau, où est organisée une World Language Party. Cette fête dédiée à la multiculturalité
rassemble une foule cosmopolite de tous âges, dont de nombreux habitués - mais ne soyez
pas timide, l'ambiance est sympathique et les nouveaux venus chaleureusement accueillis.
L'entrée, facturée avec la première boisson, coûte 1 € jusqu'à 20h30, 2 € au-delà. Consultez
le site de MC Charles, www.english-events-in-berlin.de, pour plus de détails et des infos sur
des soirées du même style.

☆ MARIA AM OSTBAHNHOF
Club

☎ 2123 8190 ; www.clubmaria.de ; Stralauer Platz 33-34 ; 10 € ; 🕒 à partir de 23h jeu, à partir de minuit ven-sam ; 🚇 Ostbahnhof

Voilà maintenant longtemps que les meilleurs DJ américains et britanniques se produisent aux côtés de stars berlinoises telles que Modeselektor, Apparat et T. Raumschmiere dans ce vaste club aménagé au bord de la Spree. Ambiance plus tranquille au Josef, petit club dans le club.

☆ MONSTER RONSON'S ICHIBAN KARAOKE
Karaoké

☎ 8975 1327 ; www.karaokemonster. com ; Warschauer Strasse 34 ; 🕒 à partir de 19h ; 🚻 🚇 Warschauer Strasse

Entonnez les derniers tubes à la mode dans ce karaoké à l'ambiance enfiévrée. Les aspirants à la *Nouvelle Star* pourront choisir parmi des milliers de chansons avant de monter sur scène. Les plus timides opteront pour une salle privée (12 € l'heure).

☆ RADIALSYSTEM V
Performances

☎ 288 788 588 ; www.radialsystem.de ; Holzmarktstrasse 33 ; prix variable ; 🚇 Ostbahnhof ; 🚻 🛜

Cet espace aménagé dans une ancienne station de pompage sur les rives de la Spree met tout en œuvre pour favoriser la rencontre de la danse contemporaine et de la musique médiévale, de la poésie et des mélodies pop, de la peinture et du numérique, brouillant les frontières entre arts de la scène, beaux-arts et nouvelles technologies, au service de nouvelles formes d'expression créative. L'endroit est doté d'un agréable bar au bord de l'eau ouvert à partir de 10h (12h le week-end).

☆ ROSI'S *Club*

www.rosis-berlin.de ; Revaler Strasse 29 ; 6 € ; 🕒 jeu-sam ; 🚇 Ostkreuz

Cette maison délabrée dotée d'un lounge et d'un jardin, à proximité de la voie ferrée, est un concentré de l'esprit de Friedrichshain, avec son éclairage tamisé, son ciment humide, son mobilier dépareillé, et sa programmation musicale des plus variées (surf music, son latino, breakbeat, dancehall, etc.). Une clientèle éclectique s'y donne rendez-vous pour danser jusqu'au bout de la nuit. Les concerts et le *Biergarten* comptent parmi les petits plus appréciables.

>CHARLOTTENBURG

Le luxueux quartier de Charlottenburg a formé tout au long de la guerre froide le centre de Berlin-Ouest. Un centre étincelant, où la jet-set profitait sans compter des fruits du capitalisme, dégustant entrecôtes et langoustes dans les restaurants chics, débattant de politique dans des cafés enfumés et s'enivrant de cocaïne dans les clubs du sélect Ku'damm.

Après la réunification, ce quartier est presque instantanément passé de mode, l'avant-garde berlinoise préférant élire domicile de l'autre côté du Mur, si longtemps demeuré inaccessible. L'ouest de la ville s'est alors contenté de se reposer sur ses lauriers, et en a payé le prix, distancé par des quartiers plus ouverts à l'expérimentation et à la nouveauté.

Les urbanistes misent sur deux grands projets pour ramener Charlottenburg sous le feu des projecteurs : une grande roue géante, qui devrait déjà tourner au moment où vous lirez ces lignes et, non loin de là, le Zoofenster, une tour de 118 m de haut, en cours de construction, appelée à modifier la physionomie du quartier.

Quoi qu'il en soit, Charlottenburg a tout de même su conserver ses principaux atouts : spectacles de cabaret du Bar jeder Vernunft, concerts de la soprano russe Anna Netrebko au Deutsche Oper ou de pointures du jazz à l'A-Trane, shopping le long du Kurfürstendamm et splendeur baroque du château de Charlottenburg, sans compter l'ours polaire Knut, désormais adulte, qui ravit toujours les visiteurs du zoo de Berlin.

CHARLOTTENBURG

Jardin zoologique

Grande Roue de Berlin

Bahnhof Zoo

Zoologischer Garten

Zoologischer Garten

Zoofenster (en construction)

Kurfürstendamm

Neues Kranzler Eck

Ludwig-Erhard-Haus

Kantdreieck

Europa-center

Budapester Str

Breitscheidplatz

Tauentzienstr

Los Angeles Platz

Nürnberger Str

Augsburger Str

Marburger Str

Eisenacher Str

Rankestr.

Joachimstaler Str

Meinekestr

Nürnberger Platz

Lietzenburger Str

Schaperstr

Geisbergstr

Regensburger Str

Ansbacher Str

Bamberger Str

Figgestr

Rankestr

Fasanenstr

Uhlandstr

Pariser Str

Fasanenplatz

Ludwigkirchstr

Uhlandstr

Pfalzburger Str

Emser Str

Sächsische Str

Pariser Str

Ludwigkirchplatz

Württembergische Str

Bayerischer Str

Konstanzer Str

Düsseldorfer Str

Xantener Str

Cicerostr

Damaschkestr

Kurfürstendamm

Sybelstr

Adenauerplatz

Adenauerplatz

Lewishamstr

Paulsborner Str

Albrecht-Achilles-Str

Eisenzahnstr

Lehniner Platz

Zähringerstr

Dahlmannstr

Giesebrechtstr

Wilmersdorfer Str

Krumme Str

Karl-August-Platz

Goethestr

Weimarer Str

Schlüterstr

Pestalozzistr

Kaiser-Friedrich-Str

Neue Kantstr

Bismarckstr

Deutsche Oper

Bismarckstr

Ernst-Reuter-Platz

Steinplatz

Hardenbergstr

Technische Universität

Fasanenstr

Müller-Breslau-Str

Knesebeckstr

Savignyplatz

Savignyplatz

Grolmanstr

Grolmanstr

Bleibtreustr

Knesebeckstr

Kantstr

Kantstr

Leibnizstr

Wielandstr

Schlüterstr

Niebuhrstr

Mommsenstr

Meyerinckplatz

George Grosz Platz

Walter Benjamin-Platz

Kurfürstendamm

Kurfürstendamm

Walter Benjamin-Platz

Charlottenburg

Stuttgarter Platz

Spichernstr

Oliver Platz

Gervinusstr

Vers la station de U-Bahn Sophie-Charlotte-Platz (100 m) et l'Olympiastadion (4 km)

Vers l'Olympiastadion (4 km) et la tour du carillon (5 km)

Lac de 17 Juni (150 m)

0   200 m
0   0.1 miles

◉ VOIR

◉ ZOO DE BERLIN ET AQUARIUM

☎ 254 010 ; www.zoo-berlin.de ; Hardenbergplatz 8 ; adulte/enfant/étudiant zoo ou aquarium 12/6/9 €, zoo et aquarium 18/9/14 €, billets famille disponibles ; ⏱ 9h-19h mi-mars à mi-sept, 9h-18h mi-sept à mi-oct, 9h-17h mi-oct à mi-mars ; Ⓤ Ⓢ Zoologischer Garten ; ♿

Ce zoo, ouvert en 1844 pour accueillir les animaux de la réserve de la famille royale, est le plus ancien du pays. Aujourd'hui, quelque 14 000 créatures des cinq continents, représentant 1 500 espèces au total, vivent ici. Knut, l'ours blanc né dans l'enceinte du zoo en 2006, et Bao Bao, un panda géant de Chine, sont de véritables célébrités. Les méduses vaporeuses, les

LES JEUX OLYMPIQUES SOUS LE SIGNE DE LA CROIX GAMMÉE

Lorsqu'en 1931 le CIO attribue à l'Allemagne l'organisation des Jeux olympiques de 1936, il entend ainsi célébrer le retour du pays dans la communauté mondiale après sa défaite à l'issue de la Grande Guerre et le tumulte des années 1920. Personne ne peut imaginer alors qu'à peine deux ans plus tard la jeune démocratie allemande sera parasitée par un dictateur se rêvant maître du monde.

Alors que Hitler ouvre les Jeux le 1er août 1936 dans le stade olympique de Berlin, les prisonniers achèvent le premier camp de concentration nazi de grande ampleur à Sachsenhausen, juste au nord de la ville. La flamme olympique met toutefois un terme provisoire aux persécutions politiques et raciales et les panneaux antisémites sont retirés.

Bien qu'il ait été modernisé pour la Coupe du monde de football 2006, il demeure difficile d'oublier le lourd passé du **stade olympique** (☎ 2500 2322 ; www.olympiastadion-berlin.de ; Olympischer Platz 3 ; visite tarif plein/réduit/famille 4/3/8 €, avec audioguide multilingue 2,50 € de plus ; visite guidée générale en allemand 8/7/16 €, visite spéciale Hertha BSC 10/8,50/24 € ; ⏱ 9h-20h juin à mi-sept, 9h-19h mi-mars à mai et mi-sept à oct, 9h-16h nov à mi-mars sauf évènement ; Ⓤ Olympia-Stadion ; Ⓢ Olympiastadion ; ♿). L'édifice a gardé sa lourdeur ampoulée évoquant le Colisée, même si un nouveau toit ovale allège l'ensemble. D'une capacité de 74 000 places, il accueille les matchs de l'équipe locale – le Hertha Berlin – et de grands événements (venue du pape, concert de Madonna...). Téléphonez pour vous assurer que le stade est bien ouvert à la visite avant de vous y rendre.

Pour une vue d'ensemble spectaculaire sur le stade, à 77 m de hauteur, grimpez au sommet de la **tour du Carillon** (Glockenturm ; ☎ 305 8123 ; tarif plein/réduit 3,50/1,50 € ; ⏱ 9h-18h ; Ⓢ Pichelsberg). Vous y découvrirez aussi une exposition passionnante sur les Jeux de 1936 et sur l'histoire du site.

L'église du Souvenir

grenouilles vénéneuses et les poissons-clowns de l'**Aquarium** voisin (www.aquarium-berlin.de ; entrée Budapester Strasse 32) fascineront aussi les enfants.

ÉGLISE DU SOUVENIR
Kaiser-Wilhelm-Gedächtniskirche ; ☎ 218 5023 ; www.gedaechtniskirche-berlin.de ; Breitscheidplatz ; 🕙 9h-19h ; 🚇 Kurfürstendamm ; ♿
Digne et paisible, le clocher bombardé de cette église dédiée à l'empereur Guillaume Ier domine la circulation. Conservé en l'état, il sert de mémorial contre la guerre. Au rez-de-chaussée, des photos prises avant et après les bombardements donnent une idée de la splendeur d'antan de l'édifice. L'annexe moderne, ornée de vitraux bleu nuit, abrite un gigantesque Christ "flottant".

MUSÉE KÄTHE-KOLLWITZ
☎ 882 5210 ; www.kaethe-kollwitz.de ; Fasanenstrasse 24 ; tarif plein/réduit 5/2,50 € ; 🕙 11h-18h ; 🚇 Uhlandstrasse
Ce ravissant musée est consacré à Käthe Kollwitz, l'une des plus grandes artistes que l'Allemagne ait connues. Ses lithographies, estampes, gravures sur bois, sculptures et dessins composent une œuvre puissante et tourmentée, témoignant d'une conscience sociale et politique élevée. Après avoir perdu son fils et son petit-fils sur les champs de bataille, K. Kollwitz fit de la mort et de la maternité des thèmes récurrents de son œuvre. Voir aussi la Nouvelle Garde (p. 49) et la Kollwitzplatz (p. 90).

MUSÉE DE LA PHOTOGRAPHIE
Museum für Fotografie ; ☎ 3186 4825 ; www.smb.spk-berlin.de/mf ; Jebensstrasse 2 ; tarif plein/réduit comprenant l'entrée (même jour) au musée Berggruen et à la collection Scharf-Gerstenberg 8/4 €, gratuit moins de 16 ans et 18-22h jeu ; 🕙 10h-18h

LE CHÂTEAU DE CHARLOTTENBURG ET SES ENVIRONS

Le **château de Charlottenburg** (Schloss Charlottenburg ; ☎ 320 911 ; www.spsg.de ; Spandauer Damm ; forfait à la journée 14/10 € ; 🚇 Richard-Wagner-Platz puis 🚌 145) est la plus vaste et la plus belle des neuf anciennes résidences royales que compte Berlin. Outre le palais lui-même, deux bâtiments annexes, nichés dans le charmant Schlossgarten (parc), sont ouverts à la visite. Plutôt que de payer l'entrée à chacun de ces édifices, optez pour la *Tageskarte*, qui permet de tous les découvrir dans la journée, à l'exception de la Nouvelle Aile (Neuer Flügel). Le week-end et l'été, mieux vaut venir tôt pour éviter la foule.

Le palais était à l'origine la résidence d'été de Sophie-Charlotte, épouse de Frédéric Ier. Les pièces de style baroque qu'ils habitaient, dans l'**Ancien Château** (Altes Schloss ; ☎ 320 911 ; tarif plein/réduit avec visite guidée ou audioguide 10/7 € ; 🕐 10h-18h mar-dim avr-oct, 10h-17h nov-mars ; 🚻), se distinguent par leur atmosphère opulente. Le billet comprend également la visite des appartements de Frédéric-Guillaume IV, à l'étage.

Si vous manquez de temps, rendez-vous directement à la **Nouvelle Aile** (Neuer Flügel ; ☎ 320 911 ; tarif plein/réduit avec audioguide 6/5 € ; 🕐 10h-18h mer-lun avr-oct, jusqu'à 17h nov-mars ; 🚻), où résidait Frédéric le Grand. Ses quartiers privés, d'un faste éblouissant, tranchent avec l'austérité des appartements de son successeur, Frédéric-Guillaume II, dans la même aile. Jouxtant la Nouvelle Aile, le **Nouveau Pavillon** (Neuer Pavillon ; ☎ 3209 1443 ; fermé pour rénovation), de Schinkel, servait de résidence d'été à Frédéric-Guillaume III et abrite aujourd'hui des tableaux datant du Romantisme et de la période Biedermeier.

Par beau temps, il fait bon se promener dans les allées ombragées du vaste **parc**. Dirigez-vous vers le nord-est, jusqu'au mini-palais du **Belvédère** (☎ 3209 1445 ; tarif plein/réduit 3/2,50 € ; 🕐 10h-18h mar-dim avr-oct, 12h-16h mar-dim nov-mars), qui abrite une collection de chefs-d'œuvre du fabricant royal de porcelaine KPM. De l'autre côté de l'étang aux carpes se dresse le **mausolée** (☎ 3209 1446 ; tarif plein/réduit 2/1,50 € ; 🕐 10h-17h mar-dim avr-oct), où reposent plusieurs monarques, dont l'empereur Guillaume Ier.

Au sud du château, le **musée Berggruen** (☎ 3269 5815 ; www.smb.museum/mb ; Schlossstrasse 1 ; tarif plein/réduit 8/4 €, gratuit moins de 16 ans et pour tous jeu 14h-18h ; 🕐 10h-18h mar-dim ; 🚻) expose des œuvres de Picasso, Klee, Matisse, Giacometti et autres maîtres de l'art contemporain. L'entrée au Berggruen donne aussi accès (dans la même journée) au musée de la Photographie (p. 135), ainsi qu'à la **collection Scharf-Gerstenberg** (☎ 3435 7315 ; www.smb.museum/ssg ; Schlossstrasse 70 ; tarif plein/réduit 8/4 €, gratuit moins de 16 ans et pour tous jeu 14h-18h ; 🕐 10h-18h mar-dim ; 🚻). Ce remarquable musée met à l'honneur le mouvement surréaliste à travers un impressionnant ensemble d'œuvres de Magritte, Ernst, Dalí, Dubuffet et de certains de leurs précurseurs du XVIIIe siècle comme Goya et Piranesi.

Arrêtez-vous aussi au **musée Bröhan** (☎ 3269 0600 ; www.broehan-museum.de ; Schlossstrasse 1a ; 6 € ; 🕐 10h-18h mar-dim ; 🚻), dont la collection de meubles et objets décoratifs Art nouveau, Art déco et issus du fonctionnalisme (1889-1939) est remarquable.

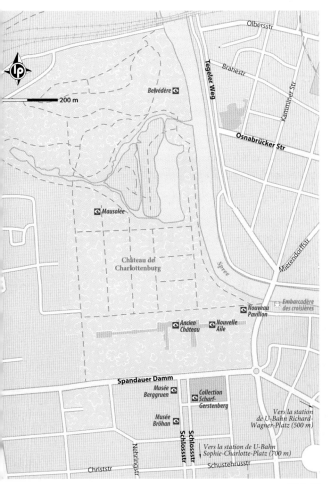

Römer + Römer
Artistes, représentés par la Galerie Michael Schultz (ci-contre)

Vous avez tous deux étudié à l'Académie des arts de Düsseldorf. Pourquoi vous êtes-vous installés à Berlin ? Ici, les codes ne sont pas aussi rigides. Il y a plus de mouvement, d'inspiration et de gens de toutes les cultures. **Quel est votre quartier préféré ?** Kreuzberg, où nous vivons. C'est le plus artistique, le plus éclectique, et il conserve un peu de l'ambian[ce] de l'époque des punks et des squatters. **Les artistes sont-ils soutenus à Berlin ?** Oui, les galeries recherchent de jeunes artistes, et les espaces insolites où exposer ne manquent pas. **Vous peignez souvent des scènes de la vie berlinoise. Qu'est-ce qui vous inspire ?** Nous recherchons des scènes de la vie quotidienne, mais loin des clichés, avec un côté décalé et intense. **Quelles sont vos musées préférés ?** La Gare de Hambourg (p. 78) Martin-Gropius-Bau (p. 116) et la maison des Cultures du monde (p. 79).

mar, mer et ven-dim, 10h-22h jeu ;
🚇 ♿ Zoologischer Garten ; ♿
Ancien casino des officiers
prussiens, cette imposante
bâtisse néoclassique a abrité
une bibliothèque d'art avant
d'accueillir le musée de la
Photographie. À l'étage, la
Kaisersaal (salon de l'Empereur),
salle de banquet à voûte
en berceau, présente des
expositions temporaires de classe
internationale. Le rez-de-chaussée
est consacré aux œuvres de
Helmut Newton, enfant terrible
de la photo de mode, qui était
originaire de Berlin.

🄲 STORY OF BERLIN
☎ 8872 0100 ; www.story-of-berlin.de ;
Kurfürstendamm 207-208 ; tarif plein/
réduit/famille 9,80/8/21 € ; 🕙 10h-20h,
dernière admission et visite du bunker
18h ; 🚇 Uhlandstrasse ; ♿
Partez pour un voyage dans le
temps à la découverte des huit
siècles d'histoire de la ville. La
muséographie moderne et la
façon d'aborder chaque période
importante dans une salle
distincte rendent la visite à la
fois instructive et très accessible.
La visite du bunker encore
fonctionnel situé sous le bâtiment
vous plongera dans la guerre
froide avec un réalisme glaçant.
Entrée à l'intérieur du centre
commercial Ku'damm Karree.

🛍 SHOPPING

Les magasins se concentrent le
long du Kurfürstendamm (voir
p. 20) et de la Tauentzienstrasse,
qui le prolonge vers l'est. Si
vous cherchez des boutiques
de déco, rendez-vous dans la
Kantstrasse. Les rues transversales
comme la Bleibtreustrasse et la
Fasanenstrasse sont quant à elles
bordées de boutiques indé, de
librairies et de galeries d'art.

🄼 STRASSE DES 17 JUNI
Marché aux puces
Strasse des 17 Juni ; 🕙 10h-17h
sam-dim ; 🚉 Tiergarten
Bien qu'il soit très rare d'y faire de
bonnes affaires, ce grand marché
situé à l'ouest de la station de
S-Bahn a ses inconditionnels.
L'un des meilleurs endroits de la
capitale où dénicher des souvenirs
berlinois de qualité, ainsi que des
objets et des bijoux anciens.

🄶 GALERIE MICHAEL SCHULTZ
Galerie d'art
☎ 319 9130 ; www.galerie-schultz.de ;
Mommsenstrasse 34 ; 🕙 11h-19h lun-
ven, 10h-14h sam ; 🚉 Charlottenburg
Cette galerie bien établie représente
des pointures de l'art contemporain
allemand tels AR Penck et Georg
Baselitz. Elle travaille aussi avec
des peintres figuratifs étrangers
de la jeune génération installés à
Berlin et déjà renommés, comme

Cornelia Schleime, SEO et Römer + Römer, un couple russo-allemand (voir leur interview p. 138).

☐ HAUTNAH *Érotisme*
☎ 882 3434 ; www.hautnahberlin.de ; Uhlandstrasse 170 ; ⏱ 12h-20h lun-ven, 11h-16h sam ; Ⓤ **Uhlandstrasse**

Hédonistes, ne manquez pas cette grande surface de 3 étages dédiée à l'érotisme : bustiers en latex, combinaisons en caoutchouc, tenues à thème, sex-toys, talons hauts... Choix de vins intéressant et champagne Marquis de Sade !

☐ STILWERK *Décoration*
☎ 315 150 ; www.stilwerk.de ; Kantstrasse 17 ; ⏱ 10h-19h lun-sam ; Ⓡ **Savignyplatz**

Ce temple du bon goût ravira les amateurs de décoration qui y trouveront sur 4 étages tous les articles nécessaires à la maison, des chaises aux sucriers en passant par les cuisines. Les plus grandes marques (Alessi, Bang & Olufsen, Philippe Starck, Ligne Roset, etc.) y sont représentées.

☖ SE RESTAURER

☖ BOND
International €€
☎ 5096 8844 ; www.bond-berlin.de ; Knesebeckstrasse 16 ; ⏱ 12h-15h et 18h-24h lun-ven, 18h-24h sam, 10h-23h dim ; Ⓡ **Savignyplatz**

Si vous êtes à Berlin *Au service secret de Sa Majesté,* cet endroit décontracté à l'esthétique à la fois design et sensuelle (pourpre royale, dorures et mobilier d'ébène) est fait pour vous. Au menu, très classique, figurent viandes grillées, club sandwichs et hamburgers tout à fait corrects. N'hésitez pas non plus à essayer la formule du jour. Ce n'est pas donné, mais rappelez-vous : *On ne vit que deux fois.*

☖ BREL *Belge* €€
☎ 3180 0020 ; www.cafebrel.de ; Savignyplatz 1 ; ⏱ 9h-1h ; Ⓡ **Savignyplatz** ; ✕ 📶

Cet élégant bistrot belge dont le nom rend hommage au Grand Jacques est installé dans un ancien lupanar. Rendez-vous des bobos à l'heure du café et des croissants, il attire employés de bureau et touristes à midi grâce à une formule déjeuner avantageuse (3 plats 9 €). Pendant la saison des moules (septembre à février), on y retrouve tous les expatriés belges de Berlin en manque de moules-frites. Petit déjeuner servi jusqu'à 18h.

☖ CAFÉ WINTERGARTEN IM LITERATURHAUS
Café €€
☎ 882 5414 ; www.literaturhaus-berlin.de ; Fasanenstrasse 23 ; ⏱ 9h30-1h ; Ⓤ **Uhlandstrasse** ; ✕ Ⓥ

Inutile d'être un littéraire pour venir prendre un café ou grignoter un en-cas dans cette belle villa Art nouveau. Sous ses splendides plafonds de stuc, le Berlin d'antan semble revivre. Par beau temps, le jardin est idéal pour une petite pause. Petit déjeuner jusqu'à 14h.

🍴 MOON THAI *Thaïlandais* €€
☎ 3180 9743 ; www.moonthai-restaurant.com ; Kantstrasse 32 ; 🕐 12h-24h ; 🚇 Savignyplatz ; ✗ Ⓥ
Notre thaïlandais préféré côté ex-Berlin-Ouest. Les œuvres d'art mises en valeur par les murs orange composent un cadre idéal pour savourer des mets alléchants. Les plats à base de canard ou de poulpe sont particulièrement recommandés.

🍴 MR HAI & FRIENDS
Vietnamien €€
☎ 3759 1200 ; www.mrhai.de ; Savignyplatz 1 ; 🕐 11h-24h ; 🚇 Savignyplatz ; ✗ Ⓥ
Ce restaurant raffiné est souvent pris d'assaut le midi par les habitants branchés du quartier. Observez les cuisiniers s'activer derrière la vitre de la cuisine en attendant votre commande. Soupes, rouleaux de printemps, *satay*, recettes au wok et autres plats très frais et délicieusement parfumés figurent à la carte. Réservation recommandée.

🍸 PRENDRE UN VERRE

🍸 CAFÉ RICHTER *Café*
☎ 324 3722 ; Giesebrechtstrasse 22 ; 🕐 7h-19h lun-sam, 9h-19h dim ; 🚇 Adenauerplatz ; ✗
Un café authentique qui évoque le charme du Berlin-Ouest d'autrefois. La clientèle de tout âge témoigne du succès de son café et de ses gâteaux maison.

🍸 GALERIE BREMER *Bar*
☎ 881 4908 ; www.galerie-bremer.de ; Fasanenstrasse 37 ; 🕐 à partir de 20h lun-sam ; 🚇 Spichernstrasse
Ce petit bar caché derrière une galerie d'art a l'allure d'un débit de boissons clandestin des années 1920. Son atmosphère est toutefois loin de tout excès et plutôt raffinée. Les amateurs de déco vintage adoreront l'intérieur conçu par Hans Scharoun, l'architecte de la Philharmonie.

🍸 PURO SKYLOUNGE
Bar-club
☎ 2636 7875 ; www.puro-berlin.de ; Tauentzienstrasse 11 ; 🕐 à partir de 20h mar-sam ; 🚇 Kurfürstendamm
Le Puro a littéralement rehaussé le niveau des bars de Charlottenburg en s'installant au 20e étage de l'Europa Center. C'est l'endroit idéal pour troquer l'habituel style trash berlinois contre un chic plus

classique. On contemple la vue, fabuleuse, en sirotant un Moët & Chandon, un Martini ou un cocktail. Tenue élégante de rigueur.

SCHLEUSENKRUG
Biergarten
☎ 313 9909 ; www.schleusenkrug.de ; Müller-Breslau-Strasse ; ⏱ à partir de 10h ; ⏱ 🚇 Zoologischer Garten ; ✗
Parfait pour trinquer en regardant les bateaux passer l'écluse qui a donné son nom à l'endroit. On sert ici à longueur de journée des pintes de *Pils* et des plats

simples et copieux à une clientèle éclectique, installée à l'ombre des hêtres. On peut fumer à l'extérieur.

⭐ SORTIR
🔲 A-TRANE
Club de jazz
☎ 313 2550 ; www.a-trane.de ; Bleibtreustrasse 1 ; entrée 5-20 € ; ⏱ 21h-2h dim-jeu, 21h-tard ven-sam ; 🚇 Savignyplatz ; ✗
Ce club de jazz feutré a accueilli de grands noms comme Herbie Hancock et Diana Krall, mais

Le cabaret est remis au goût du jour au Bar jeder Vernunft

présente surtout de jeunes talents. Entrée gratuite le lundi pour les concerts du Berlinois Andreas Schmidt et le samedi à partir de minuit et demi pour la jam-session.

☆ BAR JEDER VERNUNFT
Cabaret
☎ 883 1582 ; www.bar-jeder-vernunft. de ; Schaperstrasse 24 ; tarifs variables ; Ⓤ Spichernstrasse ; ✕
Ce chapiteau lumineux datant de 1912 présente dans un cadre Art nouveau des spectacles de danse, des soirées chanson, des spectacles comiques, ainsi qu'une reprise de la célèbre comédie musicale *Cabaret*. On peut aussi venir simplement admirer les lieux en prenant un verre au piano-bar après le spectacle (les horaires d'ouverture dépendent de la programmation). Entrée par le parking.

☆ DEUTSCHE OPER *Opéra*
☎ 343 8401 ; www.deutscheoperberlin. de ; Bismarckstrasse 35 ; billets 14-120 € ; Ⓤ Deutsche Oper
Le plus grand opéra de Berlin n'est peut-être pas très beau, mais la qualité de son acoustique fait rêver les ténors du monde entier. L'arrivée de Kirsten Harms, première femme à en prendre la tête, a permis de renouveler son image, non sans susciter quelques polémiques, notamment à propos d'un *Idoménée* de Mozart où apparaissaient les têtes coupées de Mohammed, Jésus, Bouddha et Neptune. Toutes les œuvres sont chantées dans leur langue d'origine.

>SCHÖNEBERG

Schöneberg a connu un fort activisme à l'époque des squats des années 1980 avant de se transformer en quartier résidentiel à l'atmosphère décontractée, prisé de la classe moyenne. Cet ancien secteur de Berlin-Ouest n'abrite pas de site incontournable mais est très agréable à parcourir à pied, entre la Nollendorfplatz et la Hauptstrasse. La Maassenstrasse, la Goltzstrasse et l'Akazienstrasse, situées dans le prolongement les unes des autres, sont bordées de boutiques sympas, de bars et de cafés cosy. En chemin, prenez le temps d'explorer la Winterfeldtplatz, de préférence un samedi : un grand marché réunissant étals de producteurs et stands de restauration variés s'y tient alors. Plus à l'ouest, le grand magasin KaDeWe fait le bonheur des amateurs de shopping.

Les alentours de la Nollendorfplatz forment également un secteur apprécié par la communauté gay de la ville, qui fréquente les bars et les boîtes de la Motzstrasse et de la Fuggerstrasse depuis les années 1920 – période que l'écrivain Christopher Isherwood, qui vécut dans ce quartier, décrit dans ses récits. Marlene Dietrich aimait aussi venir faire la fête ici. Elle est inhumée non loin de l'hôtel de ville de Schöneberg, où John F. Kennedy exprima sa solidarité avec le peuple berlinois en s'exclamant "*Ich bin ein Berliner !*" en 1963. Le quartier présente un visage plus cosmopolite au nord-est de l'hôtel de ville, le long de la Hauptstrasse. David Bowie et Iggy Pop partagèrent un appartement au n°155 de cette avenue à la fin des années 1970.

SCHÖNEBERG

🛍 SHOPPING
KaDeWe 1 A2
Winterfeldmarkt 2 C3

🍴 SE RESTAURER
Gottlob 3 C4
Habibi 4 C3
More 5 B2

Renger-Patzsch 6 B5
Trattoria a' Muntagnola 7 A2

🍷 PRENDRE UN VERRE
Green Door 8 B3
Heile Welt 9 B2
Kalimero 10 B5

Mutter 11 B3
Slumberland ....(voir 4)

⭐ SORTIR
Connection 12 A2
Wintergarten Varieté ..13 D2
Xenon 14 C5

Voir carte Potsdamer Platz
et Tiergarten p. 81

A B C D

Landwehrkanal
Lützowufer
Schöneberger Ufer

Ansbacher Str

Kurfürstenstr
Schillstr
An der Urania

Lützowstr
Lützowstr
Derfflingerstr
Genthiner Str
Staufenbergstr
Potsdamer Str

Wittenbergplatz
1
Ahornstr
Einemstr
Pohlstr
13

Kleiststrasse

Weiserstrasse
Fuggerstr
Nollendorfplatz
Mann-O-Meter
Kurfürstenstr

12
7
Motzstr
9
Bülowstr

5
Maassenstr
Zietenstr
Bülowstr
Frobenstr
Sekmestr

Ancienne demeure
de Christopher Isherwood
Nollendorfstr
8
Winterfeldtstr
Alvenslebenstr

Geisbergstr

Viktoria-
Luise-Platz
Viktoria-
Luise-Platz
Eisenacher Str
4
2

11
Winterfeldtplatz

Hohenstaufenstr
Pallasstr

Goebenstr

Schwäbische Str
Goltzstr
Gleditschstr
Elsshalzstr
Kulmer Str

Barbarossastr
Barbarossa-
platz
Lesbenberatung

Martin-Luther-Str
Heinrich-von-
Kleist-Park
Service des objets
trouvés de la
BVG

Rosenheimer Str
Kleistpark

Ancien
cimetière
Saint-Mathieu

Grunewaldstr
Eisenacher Str
3
Ancien appartement
de David Bowie
et d'Iggy Pop
Monumentenstr

Apostel-Paulus-Str
Akazienstr
Hauptstr
Cheruskerstr

Wartburgplatz
Wartburgstr
10
6

Badensche Str
Belziger Str
Eisenacher Str
Kaiser
Wilhelm
Platz
Kolonnenstr
Naumannstr

Hôtel de ville
de Schöneberg
J-F-
Kennedy
Platz
Heinrich
Lassen
Park
Feurigstr
Gotenstr
Leberstr

Rathaus
Schöneberg
Dominicusstr

Vers le cimetière de Schöneberg
(tombe de Marlène Dietrich, 2,8 km)

0   400 m

🛍 SHOPPING

🛍 KADEWE *Grand magasin*

☎ 212 10 ; www.kadewe-berlin.de ;
Tauentzienstrasse 21-24 ; ⌚ 10h-20h
lun-jeu, 10h-21h ven, 9h30-20h sam ;
Ⓤ Wittenbergplatz

Dans ce "grand magasin de
l'Ouest" (sens littéral de *Kaufhaus
des Westens* dont KaDeWe est
l'abréviation) ouvert depuis plus
d'un siècle, on trouve absolument
tout. Même si vous n'avez que
peu de temps, ne manquez pas
le légendaire rayon gourmet, au
6ᵉ étage.

🛍 WINTERFELDMARKT *Marché*

Winterfeldplatz ; ⌚ 8h-14h mer, 8h-16h
sam ; Ⓤ Nollendorfplatz

Incontournable pour les Berlinois
qui aiment cuisiner, ce marché
est idéal pour s'approvisionner en
œufs, viande, fruits, légumes et
autres produits frais. Le samedi, on y
trouve aussi toutes sortes d'articles
artisanaux, des bougies aux bijoux
en passant par les écharpes, les
bonnets et les gants. À l'instar des
Berlinois, terminez votre balade
en choisissant votre déjeuner
sur l'un des nombreux stands de
restauration installés sur la place.

🍴 SE RESTAURER

🍴 GOTTLOB *International*   €

☎ 7870 8095 ; Akazienstrasse 17 ;
⌚ 9h-24h lun-sam, 10h-24h dim ;
Ⓤ Eisenacher Strasse

Le KaDeWe, équivalent berlinois du Harrods de Londres

Le cadre est agréable – petites tables en bois, grandes fenêtres et moulures au plafond – et les trois menus (végétarien, viande et poisson) changeant chaque semaine séduisants, mais cette adresse est avant tout réputée pour son brunch du dimanche (8 €, boissons non comprises ; 10h-16h). Mieux vaut alors réserver pour avoir accès à l'alléchant buffet couvert de fruits, croissants, petits pains variés, fromages, charcuteries et plats chauds.

🍴 HABIBI *Moyen-oriental* €
☎ 215 3332 ; Goltzstrasse 24 ;
🕐 11h-3h dim-jeu, 11h- 5h ven-sam ;
🚇 Nollendorfplatz

Une adresse bien connue pour ses falafels divins, qui se marient très bien avec un jus de carotte fraîchement pressé.

🍴 MORE
International €€
☎ 2363 5702 ; www.more-berlin.de ;
Motzstrasse 28 ; 🕐 9h-24h ;
🚇 Nollendorfplatz

Enfin un lieu branché où l'on mange bien. Sirotez un verre de *prosecco* tout en admirant les jolis garçons, avant de commander une savoureuse pièce de bœuf à la purée de pommes de terre parfumée à la truffe ou un succulent rumsteck au gorgonzola. Toujours pris d'assaut, forcément.

🍴 RENGER-PATZSCH
Allemand €€
☎ 784 2059 ; www.renger-patzsch.com ;
Wartburgstrasse 54 ; 🕐 18h-23h30 ;
🚇 Eisenacher Strasse

Baptisé du nom d'un photographe allemand du début du XXᵉ siècle, ce restaurant situé à l'écart des circuits touristiques privilégie les saveurs du terroir. On y prépare aussi bien des plats revigorants et généreusement servis (joues de bœuf braisé au vin rouge) que des spécialités plus légères – le *Flammkuchen* est excellent.

🍴 TRATTORIA A' MUNTAGNOLA *Italien* €€
☎ 211 6642 ; www.muntagnola.de ;
Fuggerstrasse 27 ; 🕐 17h-24h ;
🚇 Wittenbergplatz ; ♿

Une trattoria à l'ambiance familiale qui met à l'honneur les spécialités de la Basilicata, région gorgée de soleil du Sud de l'Italie. De nombreux ingrédients venant directement de là-bas agrémentent pizzas, pâtes maison et recettes authentiques (lapin braisé à l'ail). Petit plus : le plateau d'huiles d'olive.

🍸 PRENDRE UN VERRE

🍸 GREEN DOOR *Bar*
☎ 215 2515 ; www.greendoor.de ;
Winterfeldtstrasse 50 ; 🕐 18h-3h

lun-jeu, 18h-4h ven-sam ;
🚇 Nollendorfplatz
Cette véritable institution a vu
passer de nombreux cadors du
shaker. Un détail ajoute à son
aspect sélect : il faut sonner avant
d'entrer. Un lieu que l'on quitte
à regret.

🔲 HEILE WELT Bar gay
☎ 2191 7507 ; Motzstrasse 5 ;
🕐 à partir de 18h ; 🚇 Nollendorfplatz
Avec ses murs couverts de
fourrure sensuelle, le "Monde
parfait" se prête bien aux jeux
de séduction. Idéal pour se
chauffer avant la longue nuit qui
s'annonce.

🔲 KALIMERO
Kinderkulturcafe
☎ 8207 1991 ; www.kinderkulturcafe.de ;
Belzigerstrasse 34 ; 🕐 14h-18h mar, mer
et dim, 11h-18h jeu-sam ; 🚇 Eisenacher
Strasse ; ✖
Si vous voyagez avec vos enfants,
faites leur plaisir en les emmenant
dans ce café culturel dédié aux
petits : commandez un café et une
part de tarte maison, et laissez-les
découvrir les innombrables jouets
à disposition dans les trois salles
de jeux.

🔲 MUTTER Café-bar
☎ 216 4990 ; Hohenstaufenstrasse 4 ;
🕐 à partir de 10h ; 🚇 Eisenacher
Strasse ; ✖

"Maman" prend bien soin de sa
clientèle : les deux salles dorées
de cette taverne sont toujours
pleines d'étudiants bavards et
d'habitants du quartier. On y sert
en outre des plats thaïlandais et
des sushis, mais si vous avez faim,
vous trouverez des restaurants
plus intéressants le long de la
Goltzstrasse voisine.

🔲 SLUMBERLAND Bar
☎ 216 5349 ; Goltzstrasse 24 ;
🕐 18h-2h lun-jeu et dim, 18h-4h
ven-sam ; 🚇 Nollendorfplatz
Ambiance cosmopolite pour ce
café au sol recouvert de sable
donnant sur la Winterfeldtplatz.
Une clientèle éclectique s'y
retrouve au comptoir ou autour
du baby-foot sur fond de musique
afro, funk et reggae.

⭐ SORTIR
🔲 CONNECTION
Club gay
☎ 218 1432 ; www.connection-berlin.de ;
Fuggerstrasse 33 ; tarifs variables ;
🕐 ven et sam ; 🚇 Wittenbergplatz
Parmi les pionniers de la
techno dans les années 1980,
ce club gay n'a rien perdu de
son entrain. Son labyrinthe de
dark rooms est légendaire. Le
DJ Serge Laurent fait vibrer les
pistes de danse des deux niveaux
supérieurs.

⭐ WINTERGARTEN VARIETÉ
Cabaret

☎ 2500 8888 1432 ; www.wintergarten-variete.de ; Potsdamerstrasse 96 ; places 22-67 € ; 🚇 Kurfürstenstrasse

La plus belle salle de cabaret de Berlin s'enorgueillit d'un plafond étoilé aussi époustouflant que sa programmation de grands magiciens, clowns, acrobates et artistes du monde entier. De septembre à avril, les meilleurs moments du show du soir sont présentés lors de spectacles de 75 minutes l'après-midi au tarif de 22 € le mercredi (16h) et le dimanche (15h).

⭐ XENON *Cinéma*

☎ 7800 1530 ; www.xenon-kino.de ; Kolonnenstrasse 5-6 ; billets 6 € ; 🚉 Julius-Leber-Brücke

Édifié en 1909, le deuxième plus ancien cinéma de la ville propose une programmation orientée art et essai et public gay et lesbien. Des films pour enfants sont par ailleurs projetés l'après-midi.

Sur le Winterfeldmarkt, les plats peuvent être épicés : gare aux papilles fragiles !

BERLIN

Fêtard, féru d'histoire, passionné d'architecture, collectionneur, gourmet ou amateur de bizarreries ? Berlin est comme un grand livre où chacun lira et écrira les pages qui lui plairont. Un seul mot d'ordre : gardez l'esprit ouvert et amusez-vous !

Sur le quai n°17 de la gare de Grunewald, mémorial dédié aux victimes juives des atrocités nazies (p. 158)

CUISINE

Si vous êtes tenté par une spécialité berlinoise bien consistante, quantité d'établissements servant côtelettes de porc fumées, jarrets, foie de veau et autres viandes vous attendent. La tendance actuelle est toutefois à une cuisine plus légère, plus saine et plus créative, dont se sont fait une spécialité les adresses gastronomiques, les restaurants bio et d'innombrables établissements de cuisines du monde.

Les pointilleux critiques du Michelin se sont fait l'écho de cette métamorphose de la scène culinaire berlinoise en accordant leurs étoiles tant convoitées à 11 chefs, notamment ceux du Rutz (p. 70) et du Facil (p. 85). Mais vous n'aurez pas forcément besoin de dépenser beaucoup pour bien manger : les meilleures adresses sont bien souvent des petits restaurants de quartiers, élégants mais sans prétention, comme le très cosy Café Jacques (p. 103).

Le caractère cosmopolite de la capitale allemande explique la diversité de sa cuisine. Les curieux pourront aussi bien goûter à la *Schnitzel* (escalope) autrichienne qu' aux steaks de zèbre de Zambie. Trouver un bar à sushis correct n'est plus un problème. Les restaurants végétariens (ou même végétaliens) poussent comme des champignons, tout comme les adresses bio. C'est à Berlin qu'ont ouvert le premier fast-food bio du pays – le Yellow Sunshine (p. 105) – et le premier restaurant soucieux de limiter son impact sur l'environnement – le Foodorama (p. 118).

Deux grandes tendances sont apparues récemment. Tout d'abord, les restaurants de cuisine asiatique. Lancée il y a quelques années par Monsieur Vuong (p. 69), la formule soupe-plat du jour, servie dans un cadre design, a depuis été largement copiée. Très en vogue également, les "guerrilla dinings" sont des dîners (sur invitation) organisés chez des particuliers par des clubs gastronomiques confidentiels comme le **Shy Chef** (http://theshychef.wordpress.com).

Le petit déjeuner a été élevé au rang de véritable art de vivre et de nombreux cafés le servent jusque tard dans l'après-midi. Le brunch dominical, sous forme de buffet à volonté, est une institution.

Les chaînes de restauration rapide internationales sont bien entendu omniprésentes, mais les en-cas les plus prisés restent la modeste *Currywurst* – saucisse de porc saupoudrée de curry – et le *döner* (chiche-kebab), pita fourrée de copeaux de viande de veau ou de poulet et de salade, et arrosée d'une sauce au yaourt et à l'ail.

POUR UN EN-CAS
> Burgermeister (p. 103)
> Curry 36 (p. 118)
> Dolores (p. 60)
> Schlemmerbuffet (p. 96)

MENUS ÉQUILIBRÉS
> Hans Wurst (p. 95)
> Monsieur Vuong (p. 69)
> Seerose (p. 118)
> Yellow Sunshine (p. 105)

RECETTES TRADITIONNELLES
> Henne (p. 104)
> Oderquelle (p. 95)
> Schusterjunge (p. 96)
> Schwarzwaldstuben (p. 70)
> Zur Letzten Instanz (p. 60)

PLACE À LA CRÉATIVITÉ
> Fellas (p. 95)
> Hartmanns (p. 103)
> Horváth (p. 104)
> Uma (p. 53)

En haut à gauche Délicieux *döner* : plus c'est relevé, meilleur c'est !

LE BERLIN GAY ET LESBIEN

La permissivité légendaire de Berlin a produit l'un des terrains de jeux gay, lesbien, bi et trans les plus fabuleux au monde. On trouve de tout à "Homopolis", vraiment de tout, du culturel au coquin, du bourgeois au bizarroïde, du conventionnel au flamboyant.

La scène gay se concentre principalement à Schöneberg, dans la Motzstrasse (carte p. 145, B2) et la Fuggerstrasse (carte p. 145, B2), où le drapeau arc-en-ciel flotte fièrement depuis les Années folles. Prenzlauer Berg est le quartier homo le plus branché de Berlin-Est, le cœur de l'action se situant dans la Greifenhagener Strasse (carte p. 89, B2), la Gleimstrasse (carte p. 89, B2) et la Schönhauser Allee (carte p. 89, B2). Kreuzberg revêt quant à lui un aspect plus alternatif (Oranienstrasse, carte p. 101, A2 ; et Mehringdamm, carte p. 113, B4), tandis que Friedrichshain abrite une petite enclave montante fréquentée surtout par les étudiants.

Les établissements couvrent toute la gamme des lieux de divertissement : cafés relax, bars extravagants, cinémas, saunas, terrains de drague, clubs avec *dark room* et lieux de débauche. Le sexe fait en réalité partie du quotidien dans une ville que rien n'offusque et où tout semble légalement et ouvertement permis. Comme ailleurs, les hommes ont plus d'options pour s'amuser, mais les femmes – lesbiennes sophistiquées, hippies ou camionneuses – n'en sont pas pour autant laissées pour compte.

Hormis les plus "hard", les adresses gays et lesbiennes acceptent les représentants du sexe opposé et les hétéros, ces derniers se laissant séduire par l'originalité des lieux. Les femmes apprécient aussi les bars gays car elles risquent moins d'y être importunées.

La référence est le magazine gratuit *Siegessäule* (www.siegessaeule.de), qui publie aussi un fascicule gratuit *Out in Berlin* (www.out-in-berlin.de), distribué dans les Infostores (p. 191). *Blu Magazine* (www.blu.fm), disponible en ligne ou en kiosque, dresse la liste de toutes les soirées et lieux du moment. Le bimensuel *L-Mag* (www.l-mag.de) est lu par les lesbiennes.

La communauté homosexuelle berlinoise a subi de terribles persécutions sous le IIIe Reich. Les homosexuels furent mis au ban de la société et souvent envoyés en camps de concentration, marqués d'un triangle rose. Dans l'Ebertstrasse (carte p. 43, A3), un mémorial commémore leur calvaire et une plaque à l'extérieur de la station de U-Bahn Nollendorfplatz (carte p. 145, C2) leur rend hommage.

Depuis 2001, Berlin est dirigé par un maire ouvertement homosexuel, Klaus Wowereit. Sa déclaration "Je suis gay, et c'est très bien comme ça" a été élevée au rang de slogan par la communauté. Pour en savoir plus sur l'histoire de cette communauté, rendez-vous au musée de l'Homosexualité (p. 116).

Le calendrier des festivals démarre avec **Easter in Berlin** (www.blf.de), six jours de fête rassemblant d'innombrables fétichistes et amateurs de cuir s'achevant par le couronnement du "M. Cuir allemand".

En juin, les rues de Schöneberg sont envahies par la foule durant le **Lesbisch-Schwules Strassenfest** (Festival de rue gay et lesbien ; www.regenbogenfonds.de), qui sert d'échauffement avant le Christopher Street Day (p. 28), un peu plus tard dans le mois. En septembre, **Folsom Europe** (www.folsomeurope.com) voit ressortir les fétichistes de tout crin.

Pour de plus amples informations, les gays peuvent s'adresser à **Mann-O-Meter** (carte p. 145, C2 ; ☎ 216 8008 ; www.mann-o-meter.de ; Bülowstrasse 106 ; ⏱ 9h-20h lun-ven ; Ⓤ Nollendorfplatz). Les lesbiennes contacteront **Lesbenberatung** (Centre de soutien aux lesbiennes ; carte p. 145, D4 ; ☎ 215 2000 ; www.lesbenberatung-berlin.de ; Kulmer Strasse 20a, Schöneberg ; ⏱ 10h-19h lun, mar et jeu,10h-17h mer et ven ; Ⓤ Ⓢ Yorckstrasse).

Pour un circuit personnalisé de découverte du mode de vie gay à Berlin (vie nocturne, shopping, gastronomie), contactez **Berlinagenten** (☎ 4372 0701 ; www.berlinagenten.com).

SORTIES FESTIVES
> Soirée House of Shame animée par la drag-queen Chantal (www.siteofshame.com)
> Gayhane (www.so36.de)
> GMF (www.gmf-berlin.de)
> Irrenhaus (www.ninaqueer.com)

BARS ANIMÉS
> Heile Welt (p. 148)
> Möbel Olfe (p. 108)
> Roses (p. 109)
> Zum Schmutzigen Hobby (p. 99 ; photo)

SCÈNE ARTISTIQUE

Depuis la chute du Mur en 1989, Berlin est devenue l'une des capitales du monde de l'art. Outre ses nombreux musées et galeries, la ville accueille un salon annuel (Art Forum Berlin ; p. 29) et une Biennale présentant des œuvres d'avant-garde. Attirés par l'énergie créatrice et la liberté de pensée régnant dans la capitale mais aussi par les les loyers bon marché, des artistes du monde entier s'installent à Berlin, aiguisant la curiosité des grands collectionneurs. Certains de ces artistes, comme Olafur Eliasson, Elmgreen & Dragset, Thomas Scheibitz, Isa Genzken, Jonathan Meese et Norbert Bisky, ont vu leur cote monter en flèche sur le marché de l'art.

Avec plus de 400 galeries à travers la ville, il y a toujours une exposition intéressante à voir quelque part. Aucun quartier ne peut se prévaloir d'être *le* secteur des galeries, mais vous en trouverez un grand nombre à Mitte – dans l'Auguststrasse (carte p. 63, C3) et, plus au nord, dans la Brunnenstrasse (hors carte p. 89) –, ainsi que du côté de Checkpoint Charlie (p. 114) dans la Zimmerstrasse, la Kochstrasse et la Charlottenstrasse et, un peu plus à l'est, dans la Lindenstrasse. Les galeries de la Halle am Wasser (Halle au bord de l'eau ; p. 78) et de la zone située sous le Jannowitzbrücke (carte p. 57, E4) méritent aussi une visite. Charlottenburg possède des galeries réputées le long du Kurfürstendamm (carte p. 133, C3) et dans des rues comme la Mommsenstrasse (carte p. 133, B2) et la Fasanenstrasse (carte p. 133, D3).

Les collections privées comme la **collection Hoffmann** (carte p. 63, D3 ; www.sammlung-hoffmann.de), la **collection Boros** (carte p. 63, B3 ; www.sammlung-boros.de)

et la **collection Haubrok** (carte p. 123, A1 ; www.sammlung-haubrok.de) présentent également de remarquables expositions.

Les collections des musées berlinois figurent parmi les plus belles du pays. Vous verrez à la Pinacothèque (p. 82) plus de Rembrandt que partout ailleurs et la Nouvelle Galerie nationale (p. 85) abrite un ensemble exceptionnel d'œuvres d'expressionnistes allemands. Les amateurs d'art contemporain se rendront à la Gare de Hambourg (p. 78). Le musée Berggruen (p. 136) expose de nombreux Picasso, tandis que l'Ancienne Galerie nationale (p. 44) fait la part belle à Caspar David Friedrich. Les œuvres d'art berlinoises du XXe siècle sont exposées à la Berlinische Galerie (p. 114). La collection Scharf-Gerstenberg (p. 136) met à l'honneur le surréalisme.

Vous trouverez toute l'actualité artistique dans les magazines *Tip* (www.tip-berlin.de) et *Zitty* (www.zitty.de) ou sur le site http://berlin.art49.com. Les germanophones peuvent aussi consulter www.indexberlin.de, www.art-in-berlin.de, www.berliner-galerien. de et www.kunstmagazinberlin.de. L'ouvrage *Berlin Art Now* de Mark Gisbourne (en anglais) évoque 19 grands artistes du Berlin contemporain, tandis que *Berlin Contemporary 2008/2009* d'Angela Hohmann et Imke Ehlers (en allemand) présente 75 des plus grandes galeries d'art de la capitale. Pour découvrir l'univers des galeries, participez à l'une des visites guidées organisées par **Berlin Entdecken** (www.berlin-entdecken.de/junge_kunst.php ; visite 10 € ; 🕙 11h sam) ou **Go Art** (www.goart-berlin.de).

LES INCONTOURNABLES
> Ancienne Galerie nationale (p. 44)
> Pinacothèque (p. 82)
> Martin-Gropius-Bau (p. 116)
> Nouvelle Galerie nationale (p. 85)

LES PETITS BIJOUX
> Berlinische Galerie (p. 114)
> Musée Emil Nolde (p. 47)
> Musée Käthe-Kollwitz (p. 135)
> Musée Berggruen (p. 136)

L'ART AVANT-GARDISTE
> Contemporary Fine Arts (p. 51)
> Gare de Hambourg (p. 78)
> Kunst-Werke Berlin (p. 64)
> Hall d'exposition temporaire (p. 50)
> Collection Boros (p. 66)

CADRES EXCEPTIONNELS
> Collection Boros (p. 66)
> Daimler Contemporary (p. 82)
> Halle au bord de l'eau (p. 78)
> Gare de Hambourg (p. 78)

En haut à gauche Femmes filant la laine au Martin-Gropius-Bau (p. 116)

LE BERLIN JUIF

Depuis la réunification, la communauté juive de Berlin a connu une croissance spectaculaire, alimentée par l'arrivée massive d'immigrants d'ex-URSS, mais aussi de Juifs allemands regagnant leur terre natale, d'Israéliens fuyant les troubles agitant leur pays et d'Américains attirés par le faible coût de la vie et l'étonnant potentiel créatif de la ville. La communauté compte aujourd'hui 13 000 membres environ, mais on estime au double la population juive de Berlin, de nombreux Juifs n'étant pas inscrits auprès d'une synagogue.

La communauté possède huit synagogues, deux bains rituels *mikvah*, plusieurs écoles, de nombreuses institutions culturelles et quelques restaurants et boutiques kascher. Le dôme doré de la Nouvelle Synagogue (p. 65), dans l'Oranienburger Strasse, est le signe le plus visible du renouveau juif ; cette synagogue n'est pas seulement un lieu de culte, mais aussi un centre communautaire et un lieu d'exposition. De l'autre côté de la ville, à Kreuzberg, le Musée juif (p. 17 et p. 115), impressionnant édifice de Daniel Libeskind, retrace les deux mille ans de l'Histoire tumultueuse des Juifs allemands.

Les documents historiques attestent que les premiers Juifs qui s'établirent à Berlin arrivèrent en 1295 ; ils pouvaient, à la différence des chrétiens, pratiquer le prêt à usure. Tout au long du Moyen Âge, ils furent tenus pour responsables de tous les maux économiques ou sociaux qui frappèrent la ville. Lors de la peste de 1348, les Juifs furent accusés d'avoir empoisonné les puits, ce qui provoqua le premier grand pogrom de l'histoire. En 1510, 38 Juifs furent torturés et brûlés en public pour avoir prétendument volé une hostie : les aveux du véritable coupable (chrétien) avaient été jugés trop spontanés pour être vrais.

Ce fut par intérêt, et non par humanisme, que le Grand Électeur, Frédéric-Guillaume, invita cinquante familles juives expulsées de Vienne à venir s'installer à Berlin en 1671. Toutefois, il étendit plus tard son offre à tous les Juifs, les autorisant en outre à pratiquer leur foi, chose rare en Europe à cette époque. Le plus ancien cimetière juif de Berlin, l'Alter Jüdischer Friedhof (p. 64), vit le jour à cette période. C'est là que repose le grand philosophe Moses Mendelssohn, qui arriva à Berlin en 1743. Ses idées progressistes et son militantisme ouvrirent la voie à l'édit d'émancipation de 1812, qui conférait la pleine citoyenneté prussienne aux Juifs et leur accordait l'égalité des droits et des devoirs. À la fin du XIXe siècle, les Juifs représentaient 5% de la population de Berlin, et une grande partie d'entre eux étaient devenus totalement allemands, tant par la langue que par l'identité.

À la même époque, des Juifs hassidim qui fuyaient les pogroms perpétrés en Europe orientale arrivèrent à Berlin et s'installèrent dans le Scheunenviertel, alors quartier misérable peuplé d'immigrants. En 1933, la population juive de Berlin comptait 160 000 personnes, soit un tiers des Juifs d'Allemagne. La plupart parvinrent à fuir l'horreur du régime nazi, mais 55 000 en furent victimes. Seuls 1 000 à 2 000 Juifs auraient survécu à Berlin jusqu'à la fin de la guerre, souvent avec l'aide de voisins non juifs. Parmi les nombreux monuments érigés dans la capitale à leur mémoire, le principal est le mémorial de l'Holocauste (p. 48), près de la porte de Brandebourg. L'exposition en plein air Topographie de la terreur (p. 116), qui doit être prochainement transférée dans un édifice bâti pour elle, témoigne elle aussi des atrocités du IIIe Reich.

La communauté juive de Berlin organise des manifestations culturelles qui attirent également les non-Juifs, comme le festival **Jüdische Kulturtage** (Journées culturelles juives ; www.juedische-kulturtage.org), qui se tient chaque année fin octobre depuis 1987. Le théâtre juif **Bamah** (www.bamah.de) présente depuis 2001 des pièces, des spectacles de cabaret, de la chanson et des lectures. Des visites guidées du Berlin juif (en anglais) sont proposées par Berlin Walks (p. 187). Pour plus d'informations sur la communauté juive, voir www.berlin-judentum.de.

Ci-dessus Le dôme doré de la Nouvelle Synagogue (p. 65), symbole de la renaissance de la communauté juive de Berlin

LE MUR DE BERLIN

Ironie de l'histoire, le site touristique le plus célèbre de la capitale allemande est un monument qui n'existe plus, ou presque. Pendant vingt-huit ans, rien n'a plus fortement symbolisé la guerre froide que le mur de Berlin, qui divisait la ville, mais isolait aussi un monde d'un autre. Sa construction débuta peu après minuit le 13 août 1961, lorsque des soldats est-allemands commencèrent à encercler Berlin-Ouest de barbelés, bientôt remplacés par du béton. Mesure de la dernière chance des autorités de la RDA, le Mur devait mettre un terme à l'exode qui avait déjà privé l'Allemagne de l'Est de 3,6 millions de personnes depuis 1949, cette fuite de main d'œuvre, essentiellement jeune et/ou qualifiée, menaçant l'équilibre économique et politique du pays.

Baptisé "barrière de protection anti-fasciste", ce sinistre symbole de l'oppression s'étendait sur 155 km. Le mur de béton sans cesse amélioré devint un système complexe de sécurité frontalière, qui comprenait tout un dispositif (la "bande de la mort") mêlant fossés, projecteurs, routes de patrouille, chiens, clôtures électrifiées et, bien sûr, miradors et gardes-frontière à la gâchette facile.

Quelques jours seulement après le 13 août, un premier fugitif fut abattu. La cruauté du système apparut au grand jour le 17 août 1962, lorsqu'un jeune homme de 18 ans, Peter Fechtner, blessé par balles et abandonné à son sort, perdit tout son sang sous l'œil impassible des gardes est-allemands. Un mémorial a été élevé dans la Zimmerstrasse (carte p. 113, C1), à l'endroit où il mourut. Un autre mémorial rendant hommage aux victimes du Mur se dresse juste au sud du Reichstag, à l'extrémité est de la Scheidemannstrasse (carte p. 43, A2).

La chute du Mur fut aussi soudaine que son édification. De nouveau, les habitants de la RDA fuyaient le pays, cette fois par la Hongrie, qui venait d'ouvrir sa frontière avec l'Autriche. Les Allemands de l'Est se mirent à manifester régulièrement en faveur du respect des droits de l'homme et de la fin de la toute-puissance du Parti socialiste unifié d'Allemagne (SED). Le 9 novembre 1989, le porte-parole du SED, Günter Schabowski, annonça à la télévision à la surprise générale que toutes les restrictions aux déplacements vers l'Ouest étaient levées. Des scènes de liesse indescriptibles et des files interminables de Trabant signèrent les retrouvailles des deux parties de Berlin. La démolition du Mur fut entreprise presque immédiatement.

Il ne reste du Mur qu'un vestige d'1,5 km de long. Le plus long tronçon (1,3 km), le mieux préservé et le plus intéressant, a été baptisé l'East Side Gallery (p. 15 et p. 124), en raison de ses nombreuses fresques peintes par des artistes du monde entier en 1990 (puis rénovées en 2009).

En 20 ans, les deux parties de Berlin se sont fondues l'une dans l'autre et seul un œil averti distingue encore l'Est de l'Ouest. Une double rangée de pavés signale l'emplacement du Mur sur une longueur de 5,7 km.

Fat Tire Bike Tours (www.fattirebiketoursberlin.com) propose des visites du Mur. Les plus ambitieux pourront suivre le **Berliner Mauerweg** (sentier du mur de Berlin ; www.berlin.de/mauer/index.en.html), un chemin balisé pour piétons et cyclistes long de 160 km qui suit les anciennes fortifications frontalières, jalonné de 40 stations donnant des informations en plusieurs langues. Une manière plus high-tech de suivre le Mur consiste à louer un **Mauerguide** (www.mauerguide.de ; tarif plein/réduit 4 heures 8/5 €, journée 10/7 €), formidable petit ordinateur portable équipé d'un GPS intégré et assorti d'un commentaire instructif et de documents historiques audio et vidéo. Téléphonez ou consultez le site Internet pour connaître les points de location.

Pour plus d'informations sur le Mur, rendez-vous au **mémorial du Mur de Berlin** (Gedenkstätte Berliner Mauer ; hors carte p. 89 ; ☎ 464 1030 ; www.berliner-mauer-gedenkstaette.de ; Bernauer Strasse 111 ; entrée libre ; ⏰ 10h-18h avr-oct, jusqu'à 17h nov-mars ; ⓢ Bernauer Strasse ; ⓡ Nordbahnhof), qui comprend un centre de documentation, une installation artistique, une portion du Mur, une chapelle et une galerie en plein air. Le musée du Mur, également appelé Haus am Checkpoint Charlie (p. 115), retrace également les années de la guerre froide.

Pour tout savoir sur le mur de Berlin, consultez le site www.berlin.de/mauer.

Ci-dessus Tronçons du mur de Berlin et soldat vêtu comme au temps de la RDA, sur la Potsdamer Platz (p. 80)

LE BERLIN COMMUNISTE

Bien que la République démocratique allemande (RDA) ait disparu depuis plus de vingt ans, de nombreux endroits de Berlin évoquent encore cette période remarquablement dépeinte dans les films *Good Bye Lenin !* et *La Vie des autres*. Le musée de la RDA (p. 58), petit établissement interactif, pose un regard plutôt bienveillant sur la vie quotidienne derrière le rideau de fer. Le musée de la Stasi (p. 126), aménagé dans les locaux de l'ancien ministère de la Sécurité, évoque un aspect plus inquiétant de l'ex-RDA. On y découvre que, lorsqu'il s'agissait de contrôler leur propre peuple, rien n'arrêtait les dirigeants est-allemands. Les dissidents présumés finissaient souvent dans la prison de la Stasi (p. 126), à Hohenschönhausen, établissement tristement célèbre dont les visites sont parfois guidées par d'anciens détenus.

Poursuivez par une balade le long de la Karl-Marx-Allee (p. 124), imposante avenue à l'architecture typique de l'époque communiste et incarnation même de la grandiloquence et de la fatuité du régime. Pour un peu plus de légèreté, faites un saut à Mondos Arts (p. 126), qui célèbre l'"Ostalgie" (la nostalgie de l'Est) à travers un bric-à-brac de babioles du temps de la RDA. Autre magasin très apprécié, l'Ampelmann Galerie (p. 67) est spécialisée dans les articles à l'effigie du petit bonhomme qui figurait sur les feux de signalisation de Berlin-Est. Pour compléter l'expérience, vous pourrez vous glisser au volant d'une authentique Trabant d'époque et participer à un Trabi Safari (p. 188).

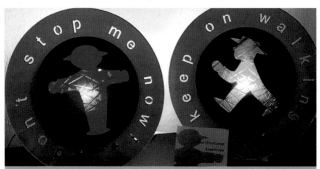

L'Ampelmann Galerie (p. 67) : une boutique consacrée à un personnage culte de Berlin-Est

CLUBS ET DISCOTHÈQUES

Berceau de la musique techno, accro à l'électro, Berlin est le paradis des clubbeurs. Que vous soyez plutôt branché(e) house, techno, drum'n'bass, breakbeat, britpop, dancehall, ska ou reggae, vous trouverez toujours une boîte à votre goût, et cela, tous les jours de la semaine. La concentration de DJ (résidents et de passage) est telle que la programmation est généralement fantastique. Parmi les pointures berlinoises figurent André Galluzzi, Ellen Allien ou Apparat.

Les critères d'admission sont plus souples que dans la plupart des autres villes européennes. Un look original est souvent plus apprécié qu'un costume Armani et l'âge importe peu.

Où que vous alliez, inutile d'arriver avant 1h du matin. Dans certaines boîtes, comme le Berghain/Panoramabar, la fête ne bat son plein qu'à partir de 4h du matin. Et si vous souhaitez passer tout votre week-end à danser, de nombreux afters vous attendent ensuite.

Les magazines *Zitty, Tip* et *030* répertorient les soirées. Dans les boutiques, les cafés et les bars, des flyers signalent aussi les bons plans. Les germanophones se rendront sur www.clubcommission.de. Voir aussi p. 13.

LA MEILLEURE FÊTE LE…
lundi SO36 (p. 110)
mardi Cookies (p. 55)
mercredi Watergate (p. 111)
jeudi Weekend (p. 61)
vendredi Clärchens Ballhaus (p. 74)
samedi Berghain/Panoramabar (p. 130)
dimanche Club der Visionäre (p. 110)

LE MEILLEUR CLUB POUR…
les afters Delicious Doughnuts (p. 74)
les DJ Watergate (p. 111)
côtoyer des célébrités Cookies (p. 55)
faire la fête dans la journée Club der Visionäre (p. 110)
jouer les hédonistes Berghain/ Panoramabar (p. 130)
la vue Weekend (p. 61)

OÙ PRENDRE UN VERRE

Si vous aimez les bars, vous allez adorer Berlin. Pubs chaleureux, bars de plage au bord de la rivière, *Biergarten* à l'abri des châtaigniers, repaires souterrains, bars à DJ, élégants bars d'hôtel ou temples design pour amateurs de cocktails, la variété est telle que chacun y trouve son compte. C'est à Kreuzberg et Friedrichshain que se trouvent actuellement les lieux les plus branchés, tandis que Mitte et Charlottenburg abritent des adresses plus propices aux rendez-vous galants. Les propriétaires rivalisant de créativité, tous les lieux ont un style et une atmosphère bien à eux.

La frontière entre cafés et bars est souvent floue, certaines adresses se métamorphosant le soir venu. Certains bars n'ouvrent leurs portes qu'à partir de 18h ou 20h, et ne ferment qu'au départ des derniers clients. Si la bière demeure la boisson préférée des Berlinois, toutes sortes de cocktails, des vins pétillants (souvent servis avec des glaçons), d'excellentes vodkas et de diaboliques breuvages à base d'absinthe vous seront également proposés.

Un phénomène nouveau touche le Scheunenviertel : la tournée des bars organisée. Pour environ 12 € par personne, les adeptes de ces circuits un peu particuliers peuvent boire autant qu'ils le veulent de bières et de cocktails bon marché dans une poignée d'établissements touristiques. **Insider Tour** (☎ 692 3149 ; www.insidertour.com) et **New Berlin Tours** (☎ 0179 973 0397 ; www.newberlintours.com) organisent ce type de sortie très prisée des Anglo-Saxons.

LA MEILLEURE ADRESSE POUR…

son *Biergarten* Prater (p. 98)
boire un café Anna Blume (p. 96)
boire un verre en journée
Bar Gagarin (p. 96)
boire un cocktail Bebel Bar (p. 54)
son cadre sophistiqué
Galerie Bremer (p. 141)
sa déco provoc Zum Schmutzigen Hobby (p. 99)

son ambiance rétro
Klub der Republik (p. 98)
la vue Solar (p. 121)

LES MEILLEURS BARS SANS ENSEIGNE

> Monarch Bar (p. 108)
> Orient Lounge (p. 108)
> Tausend (p. 54)
> Würgeengel (p. 109)

MODE

Oubliez Paris et Milan : Berlin est devenu la scène la plus branchée du monde de la mode. Loin des Prada et des Dolce & Gabbana, une jeune génération de créateurs y rivalise d'audace, produisant des vêtements sans chichi, pratiques (même lorsqu'ils sont élégants), non conformistes, parfois insolents, à mille lieues du prêt-à-porter prétentieux et uniformisé qui se fait ailleurs.

Stylistes et marques locales d'avant-garde tels Talkingmeanstrouble, Kostas Murkudis, Bo van Melskens, Lala Berlin et Presque fini se révèlent beaucoup plus originaux et contemporains que les grandes enseignes. Les créateurs berlinois sont aussi davantage attentifs aux pratiques de commerce équitable et de fabrication éthique. Caro-e et Slomo, entre autres, n'utilisent que des matières premières bio produites selon une charte bien précise.

Comme les autres artistes, les stylistes sont démangés par l'envie d'expérimenter, et l'engouement récent pour le *streetwear* (avec des marques comme Irie Daily, Hasipop et Butterfly Soulfire) a fait de Berlin la terre d'élection de jeunes talents pleins d'idées nouvelles.

Bien que de nombreux magasins de grandes marques y aient ouvert ces derniers temps, le Scheunenviertel demeure l'épicentre des boutiques de créateurs où dénicher des pièces introuvables ailleurs. Vous pouvez aussi consulter le site de **Berlinerklamotten** (www.berlinerklamotten.com), qui représente près de 140 marques locales et possède un showroom au sein des Hackeschen Höfe (voir p. 67). Le magazine en ligne *Modekultur* (www.modekultur.info) permet de son côté de suivre au jour le jour la mode berlinoise. Pour acheter des accessoires de mode sur Internet, essayez www.styleserver.de.

LE MEILLEUR DE LA MODE BERLINOISE

> Berlinerklamotten (p. 67)
> Berlinomat (p. 125)
> Killerbeast (p.102)
> Lala Berlin (p. 68)
> Sameheads (p. 117)

LES ACCESSOIRES LES PLUS ORIGINAUX

> Blush Dessous(p. 67)
> IC! Berlin (p. 68)
> Ta(u)sche (p. 93)

BERLIN POUR LES ENFANTS

Voyager à Berlin avec des enfants ne pose aucun problème, surtout si vous ne surchargez pas votre programme d'activités et si vous y intégrez la découverte de quelques-uns des nombreux sites destinés au jeune public dans la capitale. Tous les quartiers possèdent des aires de jeux et des parcs, le plus vaste d'entre eux étant le Tiergarten, parfait pour un pique-nique ou une promenade en bateau sur le lac Neuer See.

Le zoo (p. 134) abrite Knut, le célèbre ours blanc, un corral où l'on peut approcher les animaux et une aire de jeux d'aventure. L'aquarium voisin est apprécié, mais mieux vaut lui consacrer une autre journée.

Les amis des poissons ne manqueront pas Sea Life Berlin (p. 59), idéal pour les tout-petits, qui aimeront aussi le Legoland Discovery Centre (p. 83) et Kalimero (p. 148), un *Kinderkulturcafe*.

Certains musées conviennent aussi aux enfants : le Muséum d'histoire naturelle (p. 65) avec ses dinosaures géants, le musée allemand des Techniques (p. 114), plein d'avions, de trains et d'automobiles ou encore Haus am Checkpoint Charlie (p. 115), où ils pourront jouer aux espions et en apprendre plus sur quelques façons spectaculaires de s'évader.

Les enfants devraient aussi aimer la visite de la partie est de Berlin à bord d'une Trabant (p. 188) tandis que vous impressionnerez vos ados en les emmenant faire le Fritz Music Tour (p. 188).

Pour plus d'idées, voir www.visitberlin.de ou www.travelforkids.com.

Enfant dans les bras d'une statue sur l'Alexanderplatz (p. 56)

MUSÉES

Tout a commencé avec l'Ancien Musée (p. 44). Conçu par Schinkel en 1830, c'est l'ancêtre de la longue lignée de musées dont s'enorgueillit Berlin. De l'Art déco à l'agriculture, du sexe aux diamants, du sucre aux dinosaures, les 175 musées de la ville sont consacrés à d'innombrables sujets. De nouvelles institutions ouvrent sans cesse : le Nouveau Musée (p. 49), la collection Scharf-Gerstenberg (p. 136), consacrée au surréalisme, et le musée Emil Nolde (p. 47) récemment, l'édifice devant abriter l'exposition Topographie de la terreur (p. 116) sous peu.

Chaque année, les trésors conservés à Berlin attirent plus de 11 millions de visiteurs, particulièrement fascinés par la reine Néfertiti, au Nouveau Musée (p. 49) et l'autel de Pergame et la porte d'Ishtar, au musée de Pergame (p. 50). Ces deux musées sont situés sur l'île des Musées (Museumsinsel), site classé par l'Unesco depuis 1999 dont les travaux de rénovation réalisés année après année représentent le plus gros investissement jamais réalisé (1,5 milliard d'euros) dans un projet à vocation culturelle.

Si vous comptez visiter plusieurs musées, faites des économies avec la carte SchauLust Museen Berlin (p. 192). La Lange Nacht der Museen, nuit des musées, a lieu deux fois par an (voir www.lange-nacht-der-museen. de). Voir aussi le Zoom sur la scène artistique p. 156.

LES MUSÉES INCONTOURNABLES
> Haus am Checkpoint Charlie (p. 115)
> Musée juif (p. 115)
> Nouveau Musée (p. 49)
> Musée de Pergame (p. 50)

DES MUSÉES À PART
> Musée Ramones (p. 66)
> Musée berlinois de l'Histoire de la médecine (p. 78)
> Musée de la RDA (p. 58 ; photo)
> Musée de la Stasi (p. 126)

MUSIQUE

À l'instar de la ville elle-même, la scène musicale berlinoise, dynamique, inventive, est en perpétuelle évolution, mue par son insatiable appétit pour la diversité et le changement. Berlin exerce depuis longtemps une fascination sur les musiciens. Iggy Pop, David Bowie, Depeche Mode et U2 ont tous enregistré certains de leurs albums les plus marquants aux légendaires Studios Hansa (carte p. 81, F3).

Il n'existe pas "un" son berlinois, mais de nombreux courants se développant en parallèle : indie rock des Beatsteaks, upbeat reggae de Peter Fox, mélodies plus douces de 2raumwohnung, musique au tempo apaisé de Jazzanova ou punk-rock sombre de Rammstein. Les genres se renouvellent en permanence, trop vite pour pouvoir être étiquetés.

Comptant au moins 2 000 groupes en activité et des dizaines de labels indépendants, dont Bpitch Control (techno), Shitkatapult (électro crossover), Chicks on Speed (pop), DNS (pop), Piranha (world music) et !K7 (électro), Berlin est la capitale allemande de la musique. Elle dégage aujourd'hui 60% des revenus de cette industrie, contre 8% en 1998. Universal Music et MTV y ont installé leurs sièges européens et Popkomm, l'un des premiers salons musicaux au monde, se tient à Berlin.

Les concerts sont répertoriés dans *Zitty* et *Tip*.

**POUR DÉCOUVRIR
DE NOUVEAUX TALENTS**
> Dot Club (p. 110)
> Magnet (p. 99)
> S036 (p. 110 ; photo)

**POUR DES CONCERTS
DE TÊTES D'AFFICHE**
> Lido (p. 110)
> Wild at Heart (p. 111)

SEXE ET FÉTICHISME

L'escalier mène dans une grande salle baignée de lumière rouge et or, que borde un long bar. Sur la piste, la foule danse au son d'une house assourdissante. L'ambiance est détendue, amicale, décomplexée. Ce pourrait être un night-club comme un autre, si la clientèle n'arborait latex, corsets sans soutien-gorge, capes et autres accessoires… et si des films porno projetés sur écran géant et des shows live ne chauffaient l'ambiance à leur façon. À l'étage, les salons sont équipés de lits et les backrooms d'accessoires divers, de baignoires et même d'une chaise gynécologique…

Bienvenue à l'Insomnia (p. 119), club érotique auquel préside la sculpturale Dominique (voir p. 120). Comme le KitKatClub (p. 61), il permet aux hétéros, gays, lesbiennes, bisexuels et autres curieux d'assouvir leurs fantasmes en toute sécurité (à défaut d'intimité). Étonnamment, l'endroit n'a rien de sordide ; en revanche, il vous faudra laisser vos inhibitions (avec la plupart de vos vêtements) au vestiaire. Si vous n'êtes pas porté(e) sur le fétichisme, habillez-vous sexy ; pour les hommes, un pantalon moulant et une chemise échancrée (accessoire) feront l'affaire. Oubliez les looks passe-partout et les tenues bien sages ! Comme partout, les couples et les groupes de filles rentrent plus facilement. Et n'oubliez pas : sortez couverts !

Ambiance décadente et libertine au KitKatClub@Sage (p. 61), célèbre night-club érotique

SHOPPING

À Berlin, le conformisme n'est pas de mise, et c'est aussi vrai pour les achats : il suffit de quitter les grandes avenues pour découvrir toutes sortes de magasins indépendants dont l'énergie, la créativité et le goût de l'innovation sont à l'image de la ville. Et puis faire du shopping ne consiste pas seulement à consommer frénétiquement, mais aussi à regarder et à apprécier.

Chaque *Kiez* ("quartier") possède un style, une identité propres et rassemble un choix de boutiques à la mesure des besoins, des goûts et des comptes en banque de ses habitants. Charlottenburg est réputé pour les antiquités, les œuvres d'art et la mode, Kreuzberg pour ses fripes et Schöneberg pour la déco d'intérieur. L'élégante Friedrichstrasse rassemble de grandes enseignes, tandis que Mitte et Prenzlauer Berg accueillent les créateurs berlinois en vogue. Les articles fabriqués à Berlin, du *streetwear* aux sacs en passant par les chocolats, les lunettes, les bonbons et les bijoux, remportent un franc succès.

Si vous aimez les marques, vous ne serez pas en reste, Berlin comptant bien sûr toutes les enseignes internationales renommées, notamment le long du Kurfürstendamm (carte p. 133, C3), dans le grand magasin de luxe KaDeWe (p. 146) et dans l'immense centre commercial Alexa (p. 59), près de l'Alexanderplatz.

Attention : quantité de petits magasins n'acceptent pas les cartes de crédit.

LES MARCHÉS LES PLUS SÉDUISANTS

> Marché de la Winterfeldplatz (p. 146)
> Türkenmarkt (p. 105)
> Marchés aux puces de l'Arkonaplatz (p. 91), du Mauerpark (p. 92) et de la Boxhagener Platz (p. 125)

POUR LES GOURMANDS

> Bonbonmacherei (p. 68)
> Fassbender & Rausch (p. 52)
> Goldhahn & Sampson (p. 92)
> Rayon gourmet du KaDeWe (p. 146)

LES BOUTIQUES LES PLUS ORIGINALES

> 1. Absinth Depot Berlin (p. 67)
> Ausberlin (p. 59)
> Herrlich (p. 117)
> Mondos Arts (p. 126)
> VEB Orange (p. 93)

LES MEILLEURES LIBRAIRIES

> Berlin Story (p. 51)
> Dussmann (p. 52)

Le mémorial de l'Holocauste (p. 48), un site chargé d'émotion

HIER ET AUJOURD'HUI

HISTOIRE

BERLIN AU MOYEN ÂGE

Berlin a fait une entrée tardive sur la scène historique allemande, au terme de plusieurs siècles de relatif anonymat. Fondée au XIIIe siècle, la ville n'était à l'origine qu'un simple comptoir commercial, qui s'unit à celui de Cölln, de l'autre côté de la Spree, en 1307. L'arrivée au pouvoir du puissant clan des Hohenzollern, originaire d'Allemagne du Sud, en 1411, lui permit de gagner en importance. Elle prospéra alors durant deux siècles, avant d'être dévastée lors de la guerre de Trente Ans (1618-1648) : seule la moitié de la population (soit environ 6 000 habitants) survécut au pillage et à la famine.

Au lendemain de la guerre, l'Électeur Frédéric-Guillaume (appelé "Grand Électeur" ; règne 1640-1688) initia une politique de repeuplement rapide, invitant les étrangers à s'installer dans la ville. Avec l'arrivée de familles juives de Vienne et surtout de réfugiés huguenots fuyant la France, Berlin goûta pour la première fois de son histoire au cosmopolitisme. En 1700, un Berlinois sur cinq était d'origine française.

L'ÈRE PRUSSIENNE

Fils et successeur du Grand Électeur, Frédéric III régnait sur une cour animée, fréquentée par de nombreux intellectuels, tout en nourrissant de grandes ambitions politiques. En 1701, il s'autoproclama roi de Prusse sous le nom de Frédéric Ier. Berlin devint ainsi siège de la résidence royale et capitale du nouvel État de Brandebourg-Prusse.

Son fils, Frédéric-Guillaume Ier (règne 1713-1740), jeta les bases de la puissance militaire prussienne. Surnommé le Roi-Sergent (*Soldatenkönig*), il consacra la majeure partie de sa vie à constituer une armée de 80 000 hommes, en instituant notamment la conscription (très impopulaire, déjà), et en recrutant des soldats dans les pays voisins.

Ironie du sort, cette armée ne combattit jamais sous son règne. Mais elle ne s'en trouva pas moins prête lorsque son fils, Frédéric II (dit Frédéric le Grand ou le "Vieux Fritz" ; règne 1740–1786) lui succéda en 1740. Ce dernier parvint, après 20 ans de conflit, à arracher la Silésie à l'Autriche et à la Saxe. Frédéric II marqua en outre son époque en favorisant de grands projets architecturaux, et manifesta un vif intérêt pour les idéaux des Lumières. Certains des plus grands esprits du siècle

(Gotthold Ephraïm Lessing, Moses Mendelssohn…) se côtoyaient alors à Berlin, qui devint un centre florissant de la pensée européenne, bientôt surnommé l'"Athènes de la Spree".

Le décès de Frédéric le Grand marqua pour la Prusse le début d'une période sombre, qui culmina avec la défaite d'Iéna, infligée par Napoléon en 1806. Les Français entrèrent triomphalement dans Berlin le 27 octobre, pour en repartir trois ans plus tard après l'avoir pillée. Par la suite, la vague de réformes qui balayait l'Europe atteignit la ville. Mais les changements espérés ne furent pas assez importants pour dissuader Berlin de s'engager au côté d'autres villes allemandes dans une révolution démocratique bourgeoise. Hélas, le pays n'était pas prêt, et le *statu quo* fut rapidement restauré.

GUERRES ET RÉVOLUTIONS

Parallèlement, la révolution industrielle gagnait Berlin. La croissance de la ville fut favorisée par des entreprises comme Siemens et Borsig. Une nouvelle classe ouvrière apparut, donnant jour à des partis politiques comme le Parti social-démocrate (SPD). Berlin se développa aussi sur le plan culturel, notamment après être devenue la capitale du Reich en 1871. En 1900, la population avait passé le cap des 2 millions d'habitants.

Une fois encore, la guerre mit fin à cette opulence. La Première Guerre mondiale achevée, la capitale se trouva au cœur d'une lutte de pouvoir entre monarchistes, spartakistes et démocrates. Ces derniers finirent par l'emporter, mais la république de Weimar (1920-1933) fut malgré tout marquée par l'instabilité, la corruption et l'inflation. Les Berlinois répondirent par une attitude hédoniste à ce climat précaire : le mélange de décadence et de créativité qui régnait alors n'est pas sans évoquer le Berlin d'aujourd'hui. Les cabarets, le jazz et le mouvement dada faisaient vibrer la ville, attirant des artistes de tous horizons.

L'atmosphère changea radicalement avec l'arrivée d'Hitler au pouvoir – partis de gauche et syndicats interdits, presse muselée, oppression généralisée. Pendant la Seconde Guerre mondiale, Berlin fut lourdement bombardée, avant d'être prise d'assaut par 1,5 million de soldats soviétiques en avril 1945. Puis la guerre froide fit de la ville le principal théâtre du conflit opposant Américains et Soviétiques, avec deux événements majeurs, le blocus de Berlin (1948) et la construction du Mur (1961). Pendant plus de 40 ans, Berlin-Est et Berlin-Ouest se développèrent indépendamment l'une de l'autre.

LA VILLE RÉUNIFIÉE

La réunification a permis à Berlin de retrouver son statut de capitale dès 1990, et de siège du gouvernement fédéral en 1999. D'immenses chantiers – la Potsdamer Platz, le quartier du Gouvernement – ont gommé les dernières traces de la partition, tout en grevant lourdement le budget municipal, sans améliorer la situation de l'emploi. Cela n'a pas empêché les Berlinois de transformer leur ville en véritable ruche culturelle. La vie nocturne y est intense, le monde des arts, de la mode et du design en constant essor. C'est ici qu'est née la Love Parade. En 2006, la Coupe du monde de football a attiré des visiteurs du monde entier.

Parallèlement, les problèmes sociaux persistent. Le piètre niveau des établissements scolaires, les agressions racistes perpétrées par des groupuscules d'extrême droite et une vague de "crimes d'honneur" visant de jeunes Turques ayant adopté un mode de vie occidental ont fait la une des journaux ces dernières années.

Vingt ans après sa réunification, Berlin se trouve à un tournant. Certains quartiers, comme Mitte et Prenzlauer Berg, qui étaient à la pointe de l'avant-garde se sont boboïsés. Les rives de la Spree sont entre les mains de grands groupes de promoteurs, des investisseurs danois, irlandais ou américains raflent les logements bon marché, et les grandes enseignes internationales remplacent les petits commerces locaux.

D'où cette inévitable question : Berlin peut-elle rester le berceau de la liberté et de l'expérimentation sociale alors qu'elle se transforme dans le même temps en une métropole comme les autres ? Son maire Klaus Wowereit a dit d'elle qu'elle était "pauvre mais sexy". Dans dix ans, elle ne sera peut-être plus pauvre, mais sera-t-elle encore sexy ?

BERLIN AU QUOTIDIEN

Berlin fonctionne à une échelle plus humaine que bien d'autres capitales. La circulation y est fluide et les bus et les métros sont rarement bondés. Il est possible de réserver le jour même au restaurant, et inutile de faire des pieds et des mains pour être sur la liste des VIP si l'on veut passer la soirée dans un club branché.

Les Berlinois sont aux antipodes du snobisme. Un costume Armani ou un sac à main Gucci les impressionnent moins qu'un style personnel et inventif. À la fortune et au statut social, ils préfèrent un certain bien-être, fait de temps passé entre amis et à profiter de la multitude de sites culturels et d'espaces verts que leur offre la ville.

BERLIN EN CHIFFRES
> Habitants : 3, 416 millions, dont 477 000 d'origine étrangère
> Produit Intérieur Brut (PIB) : 87,5 milliards d'euros
> Chômage : 14%
> Nombre d'aires de jeux : 1 824
> Revenu annuel moyen par habitant : 14 738 €
> Nombre de visiteurs par an : 7,9 millions, dont 2,75 millions venant de l'étranger
> Nombre de musées : 175
> Température moyenne en journée : 9,7°C

Ils sont nombreux à jouir de la vie sans s'imposer de limites, buvant et fumant beaucoup, faisant la fête toute la nuit et très souvent, et adoptant à l'égard du sexe une attitude très libre. Rien d'étonnant à ce que les communautés lesbienne, gay, bi, SM et fétichiste de Berlin comptent parmi les plus en vue d'Europe.

La vie quotidienne est rythmée par une grande activité. Les Berlinois donnent l'impression d'être toujours en mouvement, mais ils ne se contentent pas de circuler entre leur domicile et leur lieu de travail : ils fréquentent aussi assidûment clubs de gym, boutiques, bars, cinémas et théâtres.

Est-ce dû à ce mode de vie ? La famille ne semble pas être une priorité : la ville compte plus de 50% de célibataires et la moitié des foyers sont monoparentaux.

De manière générale, les habitants sont courtois et serviables envers les voyageurs, et vous trouverez aisément quelqu'un pour vous aider si vous êtes perdu(e). Mais les choses n'iront guère plus loin : en public, une certaine réserve est de mise à l'égard des étrangers. Difficile d'engager une discussion dans le métro ou dans la queue du supermarché !

Les jeunes, notamment dans les quartiers étudiants, sont toutefois plus ouverts. En fréquentant régulièrement le même établissement, il ne vous faudra pas longtemps pour faire connaissance avec le personnel et les habitués. Vous serez alors peut-être surpris(e) par la facilité avec laquelle des sujets comme le sexe, l'amour et la vie en général peuvent être abordés.

Beaucoup d'habitants ne sont pas Berlinois d'origine. Ceux qui ne viennent pas d'une autre région d'Allemagne font partie des 14% de la population issus de 185 nations différentes, conférant à Berlin le statut de ville la plus multiculturelle d'Allemagne. La majorité des immigrés viennent de Turquie, de Pologne, d'ex-Yougoslavie et des anciennes républiques soviétiques.

GOUVERNEMENT ET POLITIQUE

Depuis 2001, Berlin est gouvernée par une coalition réunissant le centre-gauche (Sozialdemokratische Partei Deutschlands ou SPD ; Parti social-démocrate) et l'extrême gauche (Die Linke ; Parti du socialisme démocratique). Dirigé par Klaus Wowereit (SPD), maire-gouverneur, le gouvernement a hérité d'un casse-tête budgétaire. Après la réunification, Berlin a été sevrée des subventions fédérales qu'elle touchait jusque-là et la fermeture d'usines déficitaires de Berlin-Est a entraîné la suppression de quelque 100 000 emplois. Résultat : une dette municipale de 60 milliards d'euros.

Wowereit a réagi en réduisant les dépenses de manière drastique. Compte tenu de l'érosion de l'assiette de l'impôt due au taux de chômage élevé et de la hausse croissante des allocations sociales, ces mesures n'ont pas suffi à tirer la ville d'affaire. Réélu en 2006, Wowereit ne s'est pas laissé décourager. À la fois ferme et charismatique, l'édile ouvertement gay ne se lasse pas de présenter sa ville comme le haut lieu de la branchitude. On peut dire qu'il y parvient assez bien. Universal Music a transféré son siège allemand de Hambourg à Berlin, imité par MTV et Popkomm. La première Semaine de la mode berlinoise a été inaugurée en 2007. Et tandis que les jeunes créateurs affluent pour s'imprégner de l'atmosphère de la ville, le nombre de visiteurs augmente de façon exponentielle.

À FAIRE

> Dire "Guten Tag" en entrant dans une boutique.
> Annoncer son nom de famille au téléphone.
> Garder ses mains sur la table pendant le repas.
> Avoir sur soi une pièce d'identité (carte d'identité ou passeport) : c'est obligatoire.
> Apporter un petit cadeau ou des fleurs lorsque l'on vous invite à manger.

À NE PAS FAIRE

> Parler de la Seconde Guerre mondiale avec un air supérieur.
> Arriver en retard à un rendez-vous.
> Attendre l'addition : il faut la demander.
> Penser pouvoir payer par carte, surtout au restaurant.
> Appeler d'emblée les gens par leur prénom.

BIENVENUE DANS UN MONDE SANS TABAC
Après des années d'atermoiements, l'interdiction de fumer dans les bars et les restaurants a pris effet à Berlin le 1er juillet 2008. Moins d'un mois plus tard, la Cour suprême déclarait cependant cette loi anticonstitutionnelle. Fumer est de nouveau autorisé, mais seulement dans les bars et clubs ne comptant qu'une seule salle n'excédant pas 75 m², ne servant pas à manger et interdits aux moins de 18 ans ! Autant dire que la situation sur place est quelque peu confuse. Si la plupart des restaurants sont non-fumeurs, nombreux sont les bars et les clubs à avoir aménagé des salles réservées aux fumeurs, ou à tolérer la cigarette après 22h.

ARCHITECTURE

Berlin est pour l'essentiel une ville des temps modernes. À l'exception de quelques églises gothiques, en particulier l'église Saint-Nicolas (voir Nikolaiviertel, p. 58) et l'église Sainte-Marie (p. 58), rien ne reste de la bourgade commerçante d'antan. Au fur et à mesure de la croissance de la ville, de plus en plus d'édifices prestigieux furent construits, notamment aux XVIIe et XVIIIe siècles, qui virent le triomphe des styles baroque et néoclassique. On peut admirer de belles illustrations de ces deux types d'architecture le long du vaste boulevard Unter den Linden (p. 42), l'un des rares endroits évoquant encore la splendeur de Berlin à la grande époque prussienne.

Aucun roi ne marqua d'une plus forte empreinte le centre de Berlin que Frédéric le Grand. Avec son ami d'enfance Georg Wenzeslaus von Knobelsdorff, il conçut le Forum Fridericianum, un ambitieux projet architectural resté inachevé – les nombreuses guerres menées pas le roi ayant vidé les caisses du royaume –, mais dont plusieurs édifices dominent encore la Bebelplatz (p. 45).

Le long d'Unter den Linden se dressent aussi l'Ancien Musée (p. 44) et la Nouvelle Garde (p. 49), deux édifices néoclassiques réalisés par Karl Friedrich Schinkel, le plus grand architecte prussien, qui remodela le visage de Berlin au début du XIXe siècle.

Le plus célèbre boulevard berlinois s'achève sur la porte de Brandebourg (p. 46). Cette œuvre néoclassique de Carl Gotthard Langhans a surplombé le Mur, à deux pas de là, pendant vingt-huit ans. Le démantèlement du rideau de fer laissa un grand vide au cœur de Berlin, tout en offrant la possibilité d'une harmonisation architecturale des deux moitiés de la ville. Aujourd'hui, l'ancienne "bande de la mort" est jalonnée d'édifices à l'architecture ultramoderne conçus par des architectes de renommée internationale tels Frank Gehry, Renzo Piano, Helmut Jahn ou Rafael Moneo. Au départ de l'Hauptbahnhof (gare centrale), prenez vers le sud et promenez-vous dans le nouveau quartier du Gouvernement (p. 76) jusqu'à la Pariser Platz (p. 50), reconstruite, que jouxte le monumental mémorial de l'Holocauste (Holocaust Denkmal ; p. 48). Un peu plus loin s'étendent la Potsdamer Platz et ses environs (p. 80), jungle urbaine qui a recouvert en moins de dix ans ce qui n'était qu'un sinistre no man's land.

Avant que le Mur ne coupe Berlin en deux, l'architecture de la ville reflétait déjà l'affrontement entre les systèmes idéologiques et économiques des deux blocs. Les Allemands de l'Est s'inspiraient de Moscou et du style stalinien – une réinterprétation socialiste du bon vieux néoclassicisme. *A contrario*, à l'Ouest, la tendance était au modernisme.

Situé à deux pas de la Potsdamer Platz, le Kulturforum est l'un des ensembles architecturaux les plus remarquables de l'ouest de Berlin : il comprend notamment la Philharmonie (p. 87), salle de concert à l'aspect original conçue par Hans Scharoun, et la Nouvelle Galerie nationale, de Mies van der Rohe (p. 85), toutes deux superbes. Les édifices construits côté Ouest après la guerre sont loin d'être tous aussi beaux, comme en témoigne le quartier de la gare Zoologischer Garten à Charlottenburg : autrefois étincelant, le cœur de l'ex-Berlin-Ouest est à présent enlaidi par des tours sans charme édifiées dans les années 1960, telles l'Europa Center. Quelques tentatives ont bien été faites pour doter le quartier d'une touche contemporaine plus attirante – le Neues Kranzler Eck d'Helmut Jahn (carte p. 133, E2), le Kantdreieck de Josef Paul Kleihues (carte p. 133, D2) et la maison Ludwig-Erhard de Nicolas Grimshaw (carte p. 133, E2) –, sans parvenir à donner à l'ensemble une réelle harmonie. En définitive, ce sont les immeubles résidentiels du XIXe siècle longeant le célèbre Kurfürstendamm et les petites rues adjacentes qui sont les plus réussis.

Par la volonté de ses dirigeants, l'Est de Berlin fut aussi doté d'une avenue emblématique : la Karl-Marx-Allee (p. 124), à Friedrichshain. Conçu par certains des meilleurs architectes de la RDA, dont Hermann Henselmann, ce "boulevard socialiste" large de 90 mètres et long de 2,3 kilomètres représente le summum de la pompe stalinienne. Il conduit à l'Alexanderplatz (p. 56), entourée d'immeubles massifs dont l'austérité toute socialiste n'a été qu'à peine adoucie par de récentes rénovations.

À LIRE

Stasiland (2004 ; Anna Funder). Cet essai très complet sur l'effrayante machine à espionner qu'était la Stasi donne la parole aux victimes comme aux bourreaux.

Herr Lehmann (2001 ; Sven Regener). L'action de ce roman tragi-comique se situe à Kreuzberg quelques jours avant la chute du Mur. Adapté au cinéma sous le nom de *Berlin Blues*.

Berlin deux temps trois mouvements (1999 ; Christian Prigent). Une immersion dans le Berlin des années 1990 ponctuée de références historiques, dans un style enlevé et très libre.

Le Complexe de Klaus (*Helden Wie Wir* ; 1998 ; Thomas Brussig). Ce succès de librairie, l'un des premiers romans sur la réunification, décrit sur un ton ironique et poignant un monde aujourd'hui disparu.

La Télévision (1997 ; Jean-Philippe Toussaint). L'été à Berlin d'un historien venu rédiger un essai sur Titien et qui décide parallèlement d'arrêter de regarder la télévision.

La Trilogie berlinoise (1994 ; Philip Kerr). Les aventures dans les bas-fonds de Berlin du détective Bernie Gunther, sur fond de Seconde Guerre mondiale.

Seul dans Berlin (*Jeder stirbt für sich allein* ;1965 ; Hans Fallada). La vie quotidienne des habitants d'un immeuble de Berlin pendant la Seconde Guerre mondiale. Primo Levi a dit de ce roman qu'il était "l'un des plus beaux livres sur la résistance allemande antinazie".

Adieu à Berlin (*Goodbye to Berlin* ; 1939 ; Christopher Isherwood). Une brillante vision du Berlin des années 1920 à travers les yeux d'un journaliste anglo-américain gay.

Berlin Alexanderplatz (1929 ; Alfred Döblin). Cette déambulation dans le Berlin interlope des années 1920 demeure une référence. Le livre a été adapté au cinéma en 1931 (titre français : *Sur le pavé de Berlin*) puis en 1980, par Rainer Werner Fassbinder (en 14 épisodes).

À VOIR

Walkyrie (2009 ; Bryan Singer). Film historique revenant sur la conspiration orchestrée contre Hitler par le colonel von Stauffenberg.

La Vie des autres (*Das Leben der Anderen* ; 2006 ; Florian Henckel von Donnersmarck). Couronné d'un Oscar, ce film brillant révèle l'absurdité, l'hypocrisie et le caractère destructeur de la Stasi en mettant en scène la désillusion progressive d'un de ses agents.

Good Bye, Lenin! (2003 ; Wolfgang Becker). Immense succès, cette comédie relate l'histoire d'un jeune Berlinois de l'Est qui se démène pour que sa mère, socialiste convaincue, dans le coma au moment de la chute du Mur, se croie toujours en RDA après son réveil.

L'Allée du soleil (*Sonnenallee* ; 1999 ; Leander Haussmann). L'histoire attachante et souvent drôle d'un groupe d'adolescents de Berlin-Est fascinés par l'Occident.

Les Ailes du désir (*Der Himmel über Berlin* ; 1987 ; Wim Wenders). Dans le Berlin d'après-guerre, un ange décide de devenir humain (donc mortel) par amour pour une belle trapéziste. Un film qui dévoile toute la poésie de la ville.

Berlin, symphonie d'une grande ville (*Berlin : Sinfonie einer Grosstadt* ; 1927 ; Walter Ruttmann). Ambitieux pour son époque, ce fascinant documentaire muet retrace une journée à Berlin dans les années 1920.

HÉBERGEMENT

Berlin compte plus de 100 000 lits d'hôtel. On y trouve toutes les grandes chaînes internationales, mais pourquoi ne pas dormir plutôt dans une ancienne banque, un bateau, l'appartement d'une star du cinéma muet, un "lit volant" ou même un cercueil ? Les prestations sont en général d'excellente qualité, et la concurrence est telle que les prix sont beaucoup plus bas que dans les autres grandes capitales européennes.

L'offre en matière d'auberges de jeunesse est la plus dynamique d'Europe, avec des établissements classiques et des auberges modernes, offrant plus de confort et d'intimité. Plusieurs propriétaires d'auberge de jeunesse ont ouvert leur propre hôtel – le Circus Hotel à Mitte, le Meininger à Prenzlauer Berg – pour faire face à la concurrence des hôtels design bon marché tels ceux de la chaîne Motel One.

Kunsthotels ("hôtels d'art", conçus par des artistes et/ou décorés d'œuvres d'art) et hôtels de charme font le bonheur des amateurs de déco soignée. Les nostalgiques préfèrent les *Hotel-Pensionen* (ou *Pensionen*), qui occupent généralement un ou plusieurs étages d'immeubles résidentiels anciens – des lieux pleins de charme où l'accent est mis sur le service (équipements, taille des chambres

et déco varient, mais beaucoup ont été rénovés et offrent tout le confort moderne, avec Wi-Fi et TV câblée).

Les séjours en appartement meublé, gage d'espace, d'intimité et d'indépendance, sont de plus en plus appréciés. La formule plaît en particulier aux familles et à ceux qui aiment cuisiner eux-mêmes.

Berlin dispose d'un excellent système de transport public, offrant un accès aisé à tous les sites touristiques. Toutefois, si vous préférez circuler à pied, installez-vous à Mitte ou du côté de la Potsdamer Platz. Les grands hôtels se concentrent autour de la place du Gendarmenmarkt et de la Potsdamer Platz, tandis que les ruelles tranquilles du Scheunenviertel et du nord d'Unter den Linden rassemblent des adresses plus bohèmes et des auberges de jeunesse.

Charlottenburg offre généralement un meilleur rapport qualité/prix et un vaste choix dans la catégorie moyenne. On y trouve des *Pensionen*, des hôtels ultra-branchés et quelques hôtels quatre étoiles. Kreuzberg, Friedrichshain et Prenzlauer Berg sont conseillés à ceux qui souhaitent loger à proximité des lieux où sortir.

Vous pouvez réserver en ligne sur www.lonelyplanet.com/hotels. Consultez aussi les sites www. bandb-ring.de et www.hostel-berlin.de.

CATÉGORIE SUPÉRIEURE

GRAND HYATT
☎ 2553 1234 ; www.berlin.grand.hyatt.com ; Marlene-Dietrich-Platz 2 ; d 325 € ; P ✗ ✗ ⬛ ⬛ ♿ 📶 ; ⊖ Ⓡ Potsdamer Platz
Madonna, Gwyneth Paltrow et Marilyn Manson font partie des stars qui ont dormi, dîné et dansé dans cet hôtel pour VIP. Le luxe s'affiche ici depuis le somptueux hall en cèdre jusqu'à la piscine en terrasse.

HOTEL DE ROME
☎ 460 6090 ; www.hotelderome.com ; Behrensstrasse 37 ; d 395-495 € ; P ✗ ✗ ⬛ ; ⊖ Hausvogteiplatz
Le designer Tommaso Ziffer a transformé cet ancien siège de banque en un luxueux palace, créant une délicieuse alchimie entre splendeur du passé et raffinement moderne.

MANDALA HOTEL
☎ 590 050 000 ; www.themandala.de ; Potsdamer Strasse 3 ; ste 270-580 € ; P ✗ ✗ ⬛ ; ⊖ Ⓡ Potsdamer Platz
Pour séjourner en toute discrétion dans un havre de paix. Ici, le confort est total et le luxe sans esbroufe, avec six catégories de suites, de 40 à 101 m². Le restaurant a reçu une étoile au Michelin, et le bar est l'un des meilleurs de la capitale.

SOFITEL BERLIN GENDARMENMARKT
☎ 203 750 ; www.accorhotels.com ; Charlottenstrasse 50-52 ; d 160-270 € ; P ✗ ✗ ⬛ ; ⊖ Französische Strasse
Sur la jolie Gendarmenmarkt, ce cocon de calme et d'élégance allie les attraits d'un hôtel de charme aux services d'un grand hôtel de luxe. Savant jeu de marbre, de verre et de lumière dans les chambres.

CATÉGORIE MOYENNE

ARTE LUISE KUNSTHOTEL
☎ 284 480 ; www.luise-berlin.com ; Luisenstrasse 19 ; s 79-115 €, d 99-210 €, avec sdb commune s 49-70 €, d 79-110 €, petit déj 11 € ; ✗ ✗ 📶 ; ⊖ Friedrichstrasse
Dans cette "hôtel-galerie", libre à vous de choisir le lit pour géant, la chambre futuriste et sa douche-cocon ou le "nid" aménagé par un sculpteur hollandais. Chaque chambre reflète le travail d'un artiste, rémunéré selon le taux d'occupation de son œuvre. Les amateurs d'art désargentés demanderont une petite chambre sans sdb. Photos sur le site Internet.

HOTEL ADELE
☎ 4432 4350 ; www.adele-berlin.de ; Greifswalder Strasse 227 ; s/d avec petit déj 95/115 € ; ⬛ ; Ⓡ M4, Am Friedrichshain
Ce bel hôtel design a du caractère. Déco soignée dans les chambres

– têtes de lit en cuir, meubles laqués… –, dotées de belles salles de bains de style italien.

HOTEL ASKANISCHER HOF
☎ 881 8033 ; www.askanischer-hof. de ; Kurfürstendamm 53 ; s 100-115 €, d 117-150 €, avec petit déj ; ✂ 🛜 ; 🚇 Adenauerplatz

Atmosphère Années folles pour cet hôtel de 17 chambres. La lourde porte en chêne sculpté s'ouvre sur un petit paradis meublé d'antiquités. Les fenêtres sont habillées de dentelle, les chandeliers rivalisent d'élégance et les tapis orientaux semblent d'un autre temps.

HOTEL-PENSION FUNK
☎ 882 7193 ; www.hotel-pensionfunk.de ; Fasanenstrasse 69 ; s 52-82 €, d 82-113 €, avec sdb commune s 34-57 €, d 52-82 €, petit déj inclus ; ✂ ; 🚇 Uhlandstrasse, Kurfürstendamm

Si vous cherchez une adresse insolite et authentiquement berlinoise, poussez la porte de cette pension de caractère, près du Ku'damm. Jadis résidence de la star danoise du muet Asta Nielsen, célébrée par Apollinaire, l'endroit respire encore les années 1920. Un hôtel de qualité, qui affiche souvent complet.

PROPELLER ISLAND CITY LODGE
☎ 891 9016 ; www.propeller-island.de ; Albrecht-Achilles-Strasse 58 ;

s 69-190, d 84-205 €, petit déj 7 € ; ✂ ; 🚇 Adenauerplatz

Le plus original des hôtels berlinois porte le nom d'un roman de Jules Verne (L'Île à hélice). Chacune des 32 chambres s'apparente à un univers surréaliste, empreint de l'esprit visionnaire du propriétaire, artiste et compositeur, Lars Stroschen. Vous vous réveillerez sur le plafond (dans la chambre "À l'envers"), dans une confortable cellule de prison ("Chambre de la liberté") ou dans un kaléidoscope ("Chambre miroir"). Lars a fabriqué tous les meubles et accessoires avec des matériaux recyclés.

PETITS BUDGETS
BAXPAX DOWNTOWN
☎ 278 748 80 ; www.baxpax-downtown.de ; Ziegelstrasse 28 ; dort 13-36 €, draps 2,50 €, s 29-92 €, d 27-66 €/pers, app 20-77 €/pers, petit déj 5,50 € ; 🛒 💻 🛜 ; 🚇 Oranienburger Tor, 🚋 Oranienburger Strasse

Ouverte depuis 2006, cette auberge de jeunesse est un cran au-dessus de nombre de ses concurrentes, avec son grand jardin, sa discothèque, son sauna et son toit-terrasse doté d'une petite piscine. TV, téléphone et accès Internet dans la plupart des chambres.

CIRCUS HOSTEL
☎ 2839 1433 ; www.circus-berlin.de ; Weinbergsweg 1a ; dort 19-38 €,

s/d avec sdb commune 40/56 €, s/d avec sdb privée 50/70 €, app 2/4 pers 85/140 €, petit déj 2,50-5 € ; ✕ 🖳 🕭 🛜 ;
🚇 Rosa-Luxemburg-Platz

Mention spéciale pour cette auberge du centre-ville au service impeccable. Les chambres et les dortoirs sont propres, joliment décorés et pourvus de lits en pin avec lampes de lecture individuelles. Au rez-de-chaussée, les résidents lient connaissance autour du grand bar ovale du café-bar-réception et dans le *Wohnzimmer* ("salon"), doté d'un billard. Depuis 2008, l'équipe du Circus tient également un superbe hôtel de 60 chambres, à deux pas de là.

EASTERN COMFORT HOSTEL BOAT

☎ 6676 3806 ; www.eastern-comfort. com ; Mülhenstrasse 73-77 ; dort 16 €, d 1ᵉʳᵉ/2ᵉ classe 58/78 €, draps et serviette 5 €, petit déj 4 € ; ✕ 🖳 🛜 ;
🚇 🚊 Warschauer Strasse

Amarré au bord de la Spree, juste à côté de l'East Side Gallery, cette auberge flottante est dotée de cabines douillettes avec douche et toilettes privatives (sauf dans les dortoirs). Les chambres du Western Comfort, sur la rive opposée, sont un peu moins chères (enregistrement à l'Eastern Comfort).

EAST SEVEN HOSTEL

☎ 936 222 40 ; www.eastseven.de ; Schwedter Strasse 7 ; dort 14-18 €, s 31-38 €, d 44-52 € ; ✕ 🖳 🕭 🛜 ;
🚇 Senefelder Platz

Cette auberge de jeunesse familiale, chaleureuse et agréable, est bien située, à proximité de nombreux bars, cafés, restaurants, et même du U-Bahn. Du fait de sa taille modeste, l'ambiance est décontractée et on a vite fait de dépasser la barrière de la langue pour faire un brin de causette avec les autres résidents dans la cuisine (avec lave-vaisselle !), le salon rétro ou le jardin, idyllique. Dortoirs et chambres aux couleurs vives dotés de lits en pin.

MEININGER CITY HOSTEL & HOTEL

☎ 6663 6100 ; www.meininger-hostels. de ; Schönhauser Allee 19 ; dort 15-19 €, s/d/tr 52/70/102 €, petit déj 3,50 € ; ✕ 🖳 🕭 🛜 ; 🚇 Senefelder Platz

Établissement phare de la chaîne Meininger, qui compte 5 autres adresses à Berlin (voir le site Internet). Les chambres et les dortoirs sont spacieux. Chaque logement allie style contemporain et mobilier de qualité, avec TV à écran plat et stores électriques. Très bien situé à proximité des restos et bars branchés du quartier.

CARNET PRATIQUE

TRANSPORTS

ARRIVÉE ET DÉPART
VOIE AÉRIENNE

Berlin compte deux aéroports internationaux : celui de Tegel (TXL), à 8 km au nord-ouest du centre-ville, et celui de Schönefeld (SXF), à 22 km au sud-est. Pour tous renseignements sur ces aéroports, consultez www.berlin-airport.de ou composez le ☎ 0180 500 0186. Des travaux d'agrandissement sont en cours à Schönefeld, appelé à devenir le Berlin Brandenburg International (BBI) – inauguration prévue fin 2011, après quoi l'aéroport de Tegel fermera.

TEGEL

Le JetExpressBus TXL (2,10 €, 30 minutes) circule entre l'aéroport de Tegel et la gare centrale (Hauptbahnhof), le bus express X9 (2,10 €, 20 minutes) entre Tegel et la gare Zoologischer Garten. De l'aéroport, le bus 109, plus lent, dessert aussi l'ouest de la ville, mais ne s'avère utile que si vous descendez du côté du Kurfürstendamm. Tegel n'est pas desservi directement par le U-Bahn, mais les bus 109 et X9 marquent l'arrêt à Jakob-Kaiser-Platz (U7), station la plus proche de l'aéroport. En taxi, comptez entre 20 € et 25 € pour le centre-ville.

SCHÖNEFELD

L'aéroport de Schönefeld est desservi toutes les 30 minutes par un train régional (RE ou RB, nommé AirportExpress sur les horaires) depuis les gares de Zoologischer Garten (30 minutes), Friedrichstrasse (23 minutes), Alexanderplatz (20 minutes) et Ostbahnhof (15 minutes). Le train S9 est plus fréquent mais

---

VOYAGER MALIN

L'avion et les vols low-cost s'étant banalisés, peu nombreux sont ceux qui envisagent un autre mode de transport, et tant pis pour l'environnement. Pourtant, il est parfois possible, voire plus simple, de gagner Berlin par voie terrestre. De Paris, par exemple, il suffit de prendre un train de nuit à la gare du Nord : vous serez à Berlin pour le petit déjeuner. Des trains de nuit directs partent aussi de Bruxelles, de Zurich et de Bâle.

Plus lent et moins confortable, le bus permet de partir à la dernière minute ou d'une région mal desservie. **Eurolines** (www.eurolines.com) rassemble 32 opérateurs de bus européens desservant 500 destinations dans 30 pays, dont Berlin.

VOYAGES ET CHANGEMENTS CLIMATIQUES

Le réchauffement climatique est une menace sérieuse pour la planète. Si la quasi-totalité des moyens de transport motorisés génère du dioxyde de carbone (la principale cause du réchauffement climatique imputable à l'être humain), les avions sont de loin les plus à blâmer. Lonely Planet considère que les voyages, dans leur ensemble, sont bénéfiques, mais qu'il est du devoir de chacun de limiter son impact personnel sur l'environnement.

Certains sites Internet utilisent des compteurs de carbone permettant aux voyageurs de compenser le niveau des gaz à effet de serre dont ils sont responsables par des contributions financières au bénéfice de projets durables, applicables dans le domaine touristique et visant à réduire le réchauffement de la planète.

Lonely Planet, associé à d'autres partenaires de l'industrie du voyage, soutient les projets de compensation du dioxyde de carbone. Tout notre personnel et tous nos auteurs ont compensé leurs émissions.

moins rapide (40 minutes depuis Alexanderplatz). La circulation sur la ligne S45, qui dessert également l'aéroport, est interrompue pour une période indéterminée – renseignez-vous sur place. Une navette gratuite relie toutes les 10 minutes la gare de l'aéroport aux terminaux. À pied, comptez 5 à 10 minutes.

De l'aéroport, vous pouvez prendre le bus n°171 ou X7 pour la station de U-Bahn Rudow (U7) ou le bus SXF1 pour la station de S-Bahn Südkreuz (S2/S25), puis prendre un métro pour gagner le centre de Berlin.

Coût de ces différents trajets : 2,80 € (achetez un billet couvrant les zones ABC au guichet situé à côté du bureau d'information touristique de l'aéroport). En taxi, comptez 30 € à 40 € pour le centre-ville.

COMMENT CIRCULER

Le réseau de transports en commun berlinois, vaste et efficace, est géré par la BVG. Il comprend le U-Bahn, le S-Bahn, les bus et les tramways. Dans ce guide, les stations de U-Bahn, S-Bahn, bus et tram les plus proches des sites décrits sont indiquées après les icônes 🚇 🚈 🚌 et 🚊 . Pour des renseignements sur un itinéraire particulier ou toute autre question, appelez le ☎ 194 49 (24h/24) ou consultez le site www.bvg.de.

Le réseau est subdivisé en zones tarifaires (A, B et C), les billets étant valables pour les zones AB, BC ou ABC. Pour circuler dans Berlin, le billet AB (2,10 €, valable 2 heures pour une destination unique) suffit.

Le *Kurzstreckenticket* (1,20 €) est réservé aux trajets courts : 3 stations de U-Bahn ou de

S-Bahn, ou 6 arrêts de bus ou de tram. Les enfants de 6 à 13 ans bénéficient de tarifs réduits *(ermässigt)* et les plus jeunes voyagent gratuitement.

Vous pouvez acheter vos billets aux distributeurs des stations de U-Bahn ou de S-Bahn, à bord des trams, auprès des chauffeurs de bus, aux guichets des gares ainsi que dans les kiosques à journaux ou tout autre endroit arborant le sigle BVG. Tous les billets (sauf ceux vendus par les chauffeurs) doivent être compostés avant de monter. Voyager sans billet valide vous expose à une amende de 40 €.

FORFAITS

La *Tageskarte*, valable une journée (jusqu'à 3h du matin), permet un nombre illimité de trajets (6,10 € pour la zone AB). La *Kleingruppenkarte* offre le même avantage pour les groupes (15,90 €, 5 personnes maximum). Le forfait individuel de 7 jours *(Wochenkarte)* coûte 26,20 €.

U-BAHN ET S-BAHN

Le U-Bahn, métro "aérien et souterrain" *(Hoch- und Untergrundbahn)* est le meilleur moyen de circuler à Berlin. Les lignes (appelées U1, U2, etc.) fonctionnent de 4h à environ 0h30, et toute la nuit les vendredi, samedi et jours fériés (sauf la U4). Avec ses arrêts plus espacés et

ses lignes (S1, S2, etc.) desservant des destinations plus éloignées, le S-Bahn *(Schnell-Stadtbahn)* rappelle le RER parisien. Les trains circulent de 4h à 0h30, et toute la nuit les vendredi, samedi et jours fériés. Attention : les correspondances entre stations de U-Bahn et de S-Bahn supposent parfois de transiter par l'extérieur (le ticket reste valable).

BUS ET TRAMS

Les bus circulent de 4h30 à 0h30. Du dimanche au jeudi, les bus de nuit prennent la relève toutes les 30 minutes. Les bus N2, N5, N6, N8 et N9 suivent à peu près les mêmes itinéraires que les lignes de U-Bahn U2, U5, U6, U8 et U9.

Les trams ne circulent que dans les quartiers est. Les M10, N54, N55, N92 et N93 circulent toute la nuit.

VÉLO

Avec son relief assez plat et son bon réseau de pistes cyclables, Berlin se prête bien au vélo. On peut emporter son vélo *(Fahrrad)* dans les rames de U-Bahn et de S-Bahn prévues à cet effet (mais pas dans les bus). Il suffit pour cela de prendre un billet à tarif réduit (1,40 €) en plus de son propre ticket. Beaucoup d'auberges de jeunesse et d'hôtels louent des vélos (ou orientent leurs clients vers des agences de location).

Comptez 10 € à 15 € par jour, et 50 € la semaine. **Fahrradstation** (☎ centrale de réservation 0180 510 8000 ; www.fahrradstation.de), une agence fiable, possède 6 enseignes dans le centre de Berlin.

Le site www.bbbike.de s'avère très pratique pour planifier ses itinéraires. Voir aussi p. 24.

TAXIS

Des taxis stationnent devant les aéroports, les gares ferroviaires et, en soirée, les théâtres, discothèques et autres lieux de sortie. Pour en appeler un, composez le ☎ 443 322, le ☎ 202 020, le ☎ 210 202 ou le ☎ 263 000.

La prise en charge est de 3,20 € ; comptez ensuite 1,65 €/km jusqu'à 7 km, puis 1,28 €/km au-delà. La course de l'Alexanderplatz à Zoologischer Garten coûte environ 16 €. Pour un petit trajet (jusqu'à 2 km), faites signe à un taxi en circulation et demandez le *Kurzstreckentarif* ("tarif trajet court", 4 €) avant que le compteur ne soit allumé. Si la course dépasse 2 km, le tarif normal s'applique à tout le trajet.

PRATIQUE

ARGENT

Berlin est la capitale d'Europe occidentale offrant le meilleur rapport qualité/prix. Prévoyez 120 € à 170 € par jour pour un séjour court dans un hôtel 3-étoiles et trois repas par jour. Pour un cadre plus luxueux, comptez facilement le double. À l'inverse, les plus économes se débrouilleront avec 40 €.

Vous trouverez des distributeurs automatiques de billets dans toute la ville. Si les cartes de crédit sont acceptées dans de plus en plus de boutiques, de bars et de restaurants du centre-ville, elles ne le sont pas partout : renseignez-vous avant de consommer.

Les taux de change sont indiqués dans la rubrique *Bon à savoir* en 2e de couverture.

CIRCUITS ORGANISÉS
À PIED ET À VÉLO

Plusieurs agences proposent des circuits découverte ou thématiques (IIIe Reich, guerre froide, Sachsenhausen, Potsdam...) pour 10 à 15 €. Certains sont même gratuits (prévoyez quand même un pourboire pour le guide). Il n'est pas nécessaire de réserver – présentez-vous le jour dit au lieu de rendez-vous (s'il n'est pas indiqué sur les prospectus distribués à l'accueil des hôtels et dans les offices du tourisme, contactez l'agence concernée). Quelques adresses : **Berlin on Bike** (☎ 4373 9999 ; www.berlinonbike.de) **Berlin Walks** (☎ 301 9194 ; www.berlinwalks.de). La première agence à avoir proposé des parcours (à pied) dans Berlin après la chute du Mur. La meilleure aujourd'hui encore.

Brewer's Berlin Tours (☎ 0177 388 1537 ; www.brewersberlintours.com). Excellente visite guidée à pied d'une journée (Best of Berlin) , visites gratuites plus courtes.

Fat Tire Bike Tours (☎ 2404 7991 ; www.fattirebiketoursberlin.com)

Insider Tour (☎ 692 3149 ; www.insidertour.com). Visites à vélo et une tournée des pubs.

New Berlin Tours (☎ 0179 973 0397 ; www.newberlintours.com). Ce pionnier du concept "circuit gratuit" organise aussi une tournée des pubs.

EN BATEAU

Par beau temps, il est très agréable de découvrir les monuments de la capitale depuis le pont d'un bateau. Contactez **Stern & Kreisschiffahrt** (www.sternundkreis.de), l'une des principales agences, et optez pour une promenade d'une heure à la découverte des sites historiques du centre (à partir de 7 €) ou pour un circuit plus long jusqu'au château de Charlottenburg ou au-delà (à partir de 16 €). Les lieux d'embarquement sont indiqués sur les cartes des quartiers. D'avril à mi-octobre uniquement.

CIRCUITS THÉMATIQUES

Berlinagenten (☎ 4372 0701 ; www.berlinagenten.com). D'excellents guides vous emmènent hors des sentiers battus, dans

BERLIN BY BUS

Les bus n°100 et 200 permettent de visiter Berlin sans se ruiner. Leurs itinéraires passent par pratiquement tous les sites importants du centre-ville, et ce moyennant le tarif d'un billet de bus standard (2,10 €, forfait à la journée 6,10 €).

Le bus n°100 va du Zoologischer Garten (ou Bahnhof Zoo) à l'Alexanderplatz, en passant par la Gedächtniskirche, le Tiergarten (et le Siegessäule), le Reichstag, la porte de Brandebourg et Unter den Linden. Le bus n°200 relie aussi le Zoologischer Garten à l'Alexanderplatz mais passe plus au sud par le Kulturforum et la Potsdamer Platz. Quand la circulation est fluide, ces trajets prennent environ 30 minutes.

des bars, des boutiques, des restaurants, des clubs, et même chez l'habitant. Pour découvrir la gastronomie berlinoise, choisissez le Gastro-Rallye (dégustation d'un plat dans 3 à 5 restaurants). Interview du fondateur de l'agence, Henrik Tidefjärd, à lire p. 73.

Berliner Unterwelten (☎ 4991 0518 ; www.berliner-unterwelten.de ; tarif plein/ réduit 9/7 €). Visite guidée des bunkers souterrains de la Seconde Guerre mondiale.

Fritz Music Tours (☎ 3087 5633 ; www.musictours-berlin.com). Visite en bus (19 €) sur les traces d'Iggy Pop, David Bowie, Depeche Mode et U2, circuits en minibus privés, visites guidées à pied et visite des studios Hansa.

Trabi Safari (carte p. 113, B1 ; ☎ 2759 2273 ; www.trabi-safari.de ; angle Wilhelmstrasse et Zimmerstrasse ;

1/2/3/4 passagers 60/40/35/30 € par pers).
Visite de Berlin-Est d'1 heure au volant
ou en passager d'une Trabant (la célèbre
voiture de RDA). Commentaires diffusés
dans le véhicule.

ÉLECTRICITÉ
Alimentation : 220 V/50 Hz. Les
prises sont au standard européen
(deux trous et une broche ronde).

HANDICAPÉS
Les équipements prévus pour
les personnes handicapées, en
particulier pour celles qui sont
en fauteuil roulant, sont plutôt
satisfaisants à Berlin. Les gares,
musées, salles de concert et
cinémas sont souvent équipés
de rampes et/ou d'ascenseurs.
Les hôtels récents sont dotés
d'ascenseurs et de chambres
aux portes et aux salles de bains
adaptées. La plupart des bus et
des tramways sont accessibles aux
personnes en fauteuil roulant, et
quantité de stations de U-Bahn
et de S-Bahn sont pourvues de
rampes ou d'ascenseurs. Dans de
plus en plus de stations, les quais
sont équipés de bandes en relief
pour les malvoyants.

Pour des informations sur un
itinéraire particulier, contactez
BVG (☎ 194 19 ; www.bvg.de). En cas
de problème de fauteuil roulant,
composez le ☎ 0180 111 4747
(assistance 24h/24). Prêt gratuit
au ☎ 341 1797.

HORAIRES D'OUVERTURE
Les boutiques fixent leurs
propres horaires. Elles ouvrent
généralement de 10h à 20h du
lundi au samedi. Certains centres
commerciaux, supermarchés et
grands magasins restent ouverts
jusqu'à 21h ou 22h certains soirs.
Les petites boutiques ouvrent
plutôt vers midi et ferment dès
18h ou 19h (16h le samedi).

S'il est tard et que tout est
fermé, rendez-vous dans une
station-service ou un *Spätkauf*
(épicerie de quartier ouverte très
tard). Les supermarchés des gares
de Hauptbahnhof, Ostbahnhof,
Friedrichstrasse et Südkreuz
ouvrent jusqu'à 22h, même le
dimanche. Voir également la
rubrique *Bon à savoir* en 2e de
couverture.

INTERNET
De nombreux hôtels, auberges
de jeunesse et cafés sont équipés
du Wi-Fi (W-LAN en allemand) : le
site www.hotspot-locations.com
en liste une bonne soixantaine.
On peut aussi surfer gratuitement
dans tout le Sony Center, à
Potsdamer Platz (carte p. 81, E2).

Les cybercafés de Berlin ont
une durée de vie éphémère.
Demandez l'adresse du plus
proche à l'office du tourisme ou à
votre hôtel. **Sidewalk Express** (www.
sidewalkexpress.com ; 2 €/h) gère des
ordinateurs fonctionnant en

libre-service installés dans les centres commerciaux (le Potsdamer Platz Arkaden, Alexa, etc.) et les stations de U-Bahn (Friedrichstrasse, Alexanderplatz, etc.).

Quelques sites pour préparer votre séjour :

Berlin Tourismus Marketing (www.visitberlin.de, www.visitberlin.tv). Sites officiels de l'office du tourisme.
Berlin Poche (www.berlinpoche.de). Petit mag' d'actualité culturelle, à découvrir aussi en version papier (1 €).
Berlin Hidden Places (www.berlin-hidden-places.de). Des idées pour sortir des sentiers battus (en anglais).
Berlin Equipier (http://berlin.equipier.com). De bonnes adresses à découvrir, mais aussi les expos du moment, les plus beaux grafs de la ville et plein d'autres bonnes surprises.
Berlin Unlike (http://berlin.unlike.net). Guide branché avec articles, critiques et agenda des manifestations (en anglais).
Berlin Babel Blog (www.berlin.cafebabel.com/fr). Articles détaillés sur l'actualité et la vie à Berlin.
Gridskipper (www.gridskipper.com/travel/berlin). Guide de voyage pratique s'adressant aux citadins branchés ; sites et activités sortant des sentiers battus (en anglais).
La Gazette de Berlin (www.lagazettedeberlin.de). Bimensuel francophone traitant tous les domaines de l'actualité.
3D Stadtmodell (www.3d-stadtmodell-berlin.de). Visite virtuelle de Berlin *via* Google Earth.

JOURNAUX ET MAGAZINES

Les trois principaux journaux consacrés aux sorties sont *Zitty* (www.zitty.de), *Tip* (www.tip-berlin.de) et *Prinz* (www.prinz.de/berlin). *030* (www.berlin030.de), un gratuit, est également très populaire. Gratuit lui aussi, *Siegessäule* (www.siegessaeule.de) est destiné à la communauté homosexuelle berlinoise.

JOURS FÉRIÉS

Neujahrstag (Nouvel An) 1ᵉʳ janvier.
Ostern (Pâques) mars/avril – vendredi saint, dimanche et lundi de Pâques.
Christi Himmelfahrt (Ascension) 40 jours après Pâques.
Maifeiertag (fête du Travail) 1ᵉʳ mai.
Pfingsten (dimanche et lundi de Pentecôte) mai/juin.
Tag der Deutschen Einheit (Fête de l'unité allemande) 3 octobre.
Weihnachtstag (Noël) 25 décembre.
2. Weihnachtstag (Saint-Étienne) 26 décembre.

LANGUE
PHRASES-CLÉS

Bonjour.	*Guten Tag/Hallo.*
Au revoir.	*Auf Wiedersehen.*
Excusez-moi.	*Entschuldigung.*
Oui.	*Ja.*
Non.	*Nein.*
S'il vous plaît.	*Bitte.*
Merci.	*Danke (schön).*
Je vous en prie.	*Bitte schön.*
Parlez-vous anglais/ français ?	*Sprechen Sie Englisch/ Französisch?*
Je ne comprends pas.	*Ich verstehe nicht.*

Combien ça fait ? *Wieviel kostet es?*
C'est trop cher. *Das ist zu teuer.*

SE RESTAURER ET PRENDRE UN VERRE

C'était délicieux ! *Das war sehr lecker!*
Je suis végétarien(ne). *Ich bin Vegetarier(in).*
L'addition, s'il vous plaît. *Die Rechnung, bitte.*
Saucisse au curry. *Currywurst.*
Rôti de porc. *Schweinebraten.*
Filet de perche. *Zanderfilet.*

URGENCES

Je suis malade. *Ich bin krank.*
À l'aide ! *Hilfe!*
Appelez la police ! *Rufen Sie die Polizei!*
Appelez une ambulance ! *Rufen Sie einen Krankenwagen!*

JOURS ET CHIFFRES

Aujourd'hui. *Heute.*
Ce soir. *Heute Abend.*
Demain. *Morgen.*

1	*eins*
2	*zwei*
3	*drei*
4	*vier*
5	*fünf*
6	*sechs*
7	*sieben*
8	*acht*
9	*neun*
10	*zehn*
11	*elf*
12	*zwölf*
13	*dreizehn*
20	*zwanzig*
21	*einundzwanzig*
22	*zweiundzwanzig*
30	*dreissig*
31	*einunddreissig*
40	*vierzig*
50	*fünfzig*
60	*sechzig*
70	*siebzig*
80	*achtzig*
90	*neunzig*
100	*hundert*
1 000	*tausend*

OFFICE DU TOURISME

L'office du tourisme local, le **Berlin Tourismus Marketing** (BTM ; www. visitberlin.de), dispose de 4 bureaux, les Berlin Infostores, et d'un **centre d'appels** (☎ 250 025 ; ☾ 8h-19h lun-ven, 9h-18h sam-dim, fermeture parfois plus tardive d'avril à octobre) fournissant des informations en plusieurs langues. Le personnel peut se charger des réservations d'hôtels et de billets.
Berlin Infostore du centre commercial Alexa (carte p. 57, D2 ; Grunerstrasse 20, près d'Alexanderplatz ; ☾ 10h-20h lun-sam ; ▣ 100).
Berlin Infostore Porte de Brandebourg (carte p. 43, A3 ; aile sud ; ☾ 10h-18h ; ◔ ▣ Brandenburger Tor).
Berlin Infostore Hauptbahnhof (carte p. 77, B3 ; près de la sortie nord d'Europaplatz ; ☾ 8h-22h ; ▣ Hauptbahnhof).

Berlin Infostore du Neues Kranzler Eck
(carte p. 133, E2 ; Kurfürstendamm 21 ;
🕐 10h-20h lun-sam, 10h-18h dim ;
🚇 Kurfürstendamm).

POURBOIRES

Porteurs	1 € par bagage
Restaurants	10%
Taxis	5-10%

RÉDUCTIONS

Berlin WelcomeCard (www.berlin-welcomecard.com ; 2/3/5 jours, zone AB 16,50/22/29,50 €, zone ABC 18,50/25/34,50 €).
Accès illimité aux transports en commun, et jusqu'à 50% de réduction pour 140 sites et visites guidées. Vendue dans les Berlin Infostores (voir Office du tourisme, p.191), aux distributeurs des stations de U-Bahn et de S-Bahn, aux guichets BVG et dans de nombreux hôtels.
CityTourCard (www.citytourcard.de ; 2/3/5 jours, zone AB 15,90/20,90/28,90 €, zone ABC 17,90/22,90/33,90 €). Fonctionne sur le même principe que la Berlin WelcomeCard. Un peu moins chère, elle offre aussi moins de réductions. En vente dans certains hôtels et aux distributeurs des stations de U-Bahn et de S-Bahn.
SchauLust Museen Berlin (adulte/enfant 19/9,50 €). Accès aux collections permanentes d'environ 70 musées pendant 3 jours ouvrables consécutifs. Disponible dans les Berlin Infostores et dans les musées participants. Une excellente affaire !

TÉLÉPHONE

Les portables fonctionnent via le réseau GSM 900/1800, compatible avec le reste de l'Europe mais pas avec le système nord-américain. Renseignez-vous auprès de votre opérateur sur le coût d'utilisation à l'étranger. La plupart des cabines fonctionnent avec des cartes (éditées par Deutsche Telekom ou des opérateurs privés), vendues chez les marchands de journaux ou dans les boutiques d'appels téléphoniques discount.

Les numéros de téléphone utiles figurent dans la rubrique *Bon à savoir* (2e de couverture).

URGENCES

Appelez le ☎ 110 pour joindre la police, le ☎ 112 pour une ambulance ou les pompiers. Autres numéros et adresses utiles :
Ligne d'assistance internationale
(☎ 4401 0607 ; 🕐 18h-minuit).
Service d'aide anonyme géré par des volontaires pour toute situation de crise.
Médecin (☎ 01804-2255 2362).
Aide médicale hors urgences.
Service des objets trouvés BVG (carte p. 145, C4 ; ☎ 194 49 ; Potsdamer Strasse 180/182 ; ☎ 9h-18h lun-jeu, 9h-14h ven ;
🚇 Kleistpark).

>INDEX

Voir aussi les index des rubriques Prendre un verre *(p. 196),* Se restaurer *(p. 197),* Sortir *(p. 197),* Voir *(p. 198) et* Shopping *(p. 199).*

Pages des cartes en **gras**

Pages des cartes **en gras**

INDEX

Pages des cartes **en gras**

INDEX

Y PRENDRE UN VERRE